Ⓢ新潮新書

松江英夫
MATSUE Hideo

「脱・自前」の日本成長戦略

952

新潮社

「脱・自前」の日本成長戦略◆目次

序章　〝脱自前〟が日本を変える

「成長できない」日本の現実

日本は「成長」という課題に苦しんでいます。もはやGDPの伸びでは米国、中国との開きが一層拡大しており、「失われた30年」と言われます。

これからますます人口減少が進んでゆく日本においては、この先、いかに経済社会としての持続可能性を高められるのかが大きな課題です。日本が明るい未来を描くうえで、「成長」は最重要のアジェンダです。

近年の潜在成長率は低下傾向にあり、0～1％台の水準が定着しつつあります。少子高齢化が進み、人口の総数が確実に減少してゆく中で、潜在成長率を引き上げてゆくことは、とても難しいテーマです。

人口減少社会の日本において成長を考える上では、一人当たりの付加価値、いわば生産性を高めてゆくことが必要不可欠です。しかしながら、現実を見ると生産性の目安になる一人当たりGDPについては、OECD加盟国においても23位と非常に低い状況で、年々変わらずに下降線をたどっています。

更に、生産性を高める手段として期待されるデジタル化においても、日本は著しく後れを取っています。スイスの有力ビジネススクール・国際経営開発研究所（IMD）が発表した世界デジタル競争力ランキングにおいて、日本の全体順位は64カ国中28位と年々順位を下げていて、数周遅れの現実を直視せざるを得ない状況です。

デジタル化において、企業や政府が手をこまねいていたわけではありません。政府が2001年に掲げたe-Japan戦略を皮切りに政策メニューは上げられ、企業においても、個社個別にITへの投資はしてきています。しかし現状では、旧タイプのテクノロジーに依存し、デジタル教育に関しては、まだ大多数の方がその機会を持てずにいるのが実態です。

国を挙げて成長戦略を掲げて手を打ってきているにもかかわらず、結果的に日本社会は意図した方向には変わりきれず、成果を得られていません。そもそもどうしてこのような状況に陥ってしまったのでしょうか。低迷の理由はどこにあるのでしょうか。

「タコツボ社会」の呪縛

私は、その大きな原因は、変革を拒む日本社会の組織や仕組みにある、と捉えています。いくら科学やデジタル技術が進展しても、社会システムや組織がそれを受け入れて機動的に変わることが出来なければ意味がありません。

日本の社会システム、組織運営は、過去の成功に囚われています。日本の社会全体にわたって、「変わりたくない」という根強いエネルギーが至る所で働いているようです。

この変革を妨げる要因を一言でいえば、内向きで部分最適な「タコツボ社会」です。

タコツボ化という言葉は、古くは政治学者の丸山眞男氏が、『日本の思想』で提唱した概念です。共通の根元から分化した多くの細枝をもつ竹のササラとは違い、タコツボは、それぞれに孤立した蛸壺が1本の綱で並列的に連なっている状態とし、日本の学問、文化や社会組織は、欧米のそれと比較するとタコツボ型であると指摘しました。共通の根を持たない中で専門化が進んだ結果として、それぞれが集団をつくり相互間の意思疎通が困難になったとの分析は、今も多くの事象に当てはまると思います。

例えば、先ほどのデジタル化においても、各企業や自治体、官民がそれぞれ独自のＩ

Tシステムを作りこんでいるため、相互に情報や機能を共有することに苦労し、データや業務を標準化することに膨大な時間とエネルギーを要します。結果として、作業スピードが遅くなり、デジタル化の恩恵を受けられません。

また、別の例を挙げれば、多くの企業や行政で起きる不正は、縦割り組織や風通しの悪い風土が原因と指摘されます。これらの根っこには、それぞれがバラバラに作り上げている内向きな組織構造があります。

「組織のタコツボ化」は、それぞれが殻に閉じこもって〝自己完結〟している内向きな状態です。それが今や、縦割り組織、セクショナリズム、既存の規制やルールの固定化、風通しの悪い風土などをもたらし、時代の変化に適応して社会を変革しようとする時にネガティブに働くことが多いのです。

タコツボ化の根源にある〝自前主義〟

更に厄介なのが、タコツボ社会の根底に宿っている価値観です。それを一言でいうならば〝自前主義〟です。自前主義とは、他に頼らず独力でまかなう仕事のやり方を美徳とする考え方を指します。自前主義は、オーナーシップや責任が明確になる長所がある一方で、全てが自己完結することによって、外とのオープンな連携を妨げ、セクショナリズムに陥るリスクがあります。

こうした「自前主義に裏打ちされたタコツボ化」が続いてきたのは、日本では過去に成功を収めてきた時代が、比較的長かったことに理由があります。

高度経済成長期のように、経済社会全体のパイが拡大する局面では、各企業や産業が個別に自己完結しても、その総和がプラスになっていれば成長できました。それぞれに心地よい最適なやり方を積み上げてゆくことが、全体としても効率的なものだったのです。

しかし、この先の日本は、経済が成熟化した上に、総人口は年々減少し、国内の市場規模は縮小してゆきます。こうしたパイが縮小する局面では、個々がバラバラに自己完結した状態を続けることは、全体的にはかえって非効率になります。これからの日本の成長は、全体が縮小することを前提に考えるべきです。

加えて、グローバル化とデジタル化の進展も、自前主義に大きな影響をもたらします。あらゆる組織や国家がつながり、相互に影響し合う世界で、今までの内向きに閉じたローカルなルールは劇的に変化せざるを得なくなります。その際に、自前主義に裏打ちされたタコツボ社会の仕組みは、変革の妨げになるのです。

このように、タコツボ社会や自前主義は、それ自体に善悪があるわけではなく、時代や直面する環境によって評価が分かれるのです。

しかし、私たちは、過去の成功を支えてきた社会の仕組みや価値観に縛られ、〝タコツボ化の呪縛〟に陥っていないでしょうか。真に恐れるべきは、〝自前主義への拘《こだわ》り〟が知らず知らずのうちにタコツボ化をさらに強固なものにし、外部の環境変化に鈍感になり、無意識に〝変革への抵抗感〟に繋がっていないかということです。

変革の現場で感じる危機感

ここで、なぜ私が、成長を阻害する要因を「自前主義に裏打ちされたタコツボ社会」と捉えているのか、その背景を少しご説明したいと思います。

私は、長年にわたって多くの民間企業や行政などの様々な組織の変革に携わる仕事をしてきました。経営コンサルティングという立場から数々の経営者や行政の関係者と対話し、変革の現場に携わる一方で、自身も経営者として企業実務に関わってきました。

こうしたミクロ経済の担い手である企業での経験を基にしながら、アカデミアにおいて成長戦略やイノベーション、組織変革論を研究し、ここ数年は報道番組のコメンテーターとして日本社会の諸課題への提言を行う立場から、マクロ的な視点で日本の現状と未来を見つめてきました。

「自前主義に裏打ちされたタコツボ化」は、私の長年の現場体験から生じた問題意識です。

日本の多くの企業や行政組織は、新しいものを取り入れて変革するよりも、過去から現在までのやり方を踏襲することを優先しがちです。また、外部の多様なメンバーと交わり、何かを〝生み出す苦労〟よりも、内部のメンバーのみで抵抗を少なく物事を進める〝やりやすさ〟を選びがちで、結果として組織全体が内向きになる傾向にあります。

日本の組織を牽引する多くのリーダー達は、デジタル化をはじめ外部環境が激変する中で大胆な変革が必要なことは理解しています。一方で、いざ変えようとすると、過去からの慣習や個別の事情など組織内の抵抗が強すぎて、全体の変革が進まずに苦労しているのも事実です。

つまり、組織がタコツボ化されて部分最適が強すぎるが故に、時代に即した全体最適への変革が進まず、成長への妨げになっているのです。危機感や焦燥感を持ちながら、多くの現場リーダーは悩んでいます。私は、そうした経営者や現場リーダー達の生々しい悩みに多く触れてきました。

過去の日本の成長を支えてきた自前主義をすべて否定するつもりはありません。しかし、これから日本が成長するうえで、足かせになっている仕組みや価値観を今一度見直す必要があると強く感じています。「自前主義に裏打ちされたタコツボ社会」から〝脱却〟して、日本らしい変革を加速することが、今求められているのです。

日本の成長論や変革論を導き出す中核となるコンセプト、それが〝脱自前〟です。

求められる〝脱自前〟

これからの日本社会に求められるのは〝脱自前〟です。

〝脱自前〟という言葉には、変革を妨げるタコツボ化、更にその根源にある自前主義を見直すことで、これからの日本における「成長」の可能性を引き出そう、という意図を込めています。自前で完結させてきたやり方を見直し、目的を共有できる相手と積極的に連携することで、本来の「自らの強みを再発見」する。それが〝脱自前〟です。

〝脱自前〟を進めるべき時代的な背景には、先に指摘したデジタル化の流れがあります。

デジタルが持つ力は、成長を促す原動力になる反面で、既存の社会システムを破壊しうる脅威にもなります。デジタル化は、あらゆるものを可視化します。さらにデータ同士がつながり、集まることで、そこから生まれる潜在的な価値を増幅させていく力を持っています。

例えば、最近のGAFA（グーグル、アップル、フェイスブック＝メタ＝、アマゾン）等のプラットフォーマーの台頭は、世界中のユーザーの購買や趣味嗜好などの大量のデータを繋げて分析、活用することで、私たちの生活の利便性を圧倒的に高めることに多大な貢献をしました。一方で、既存の企業や社会にとって大きな脅威となっていることも確かです。さらには個人情報がどのように管理されているかが分からず、セキュリティ面での懸念も指摘されます。

こうしたデジタル化は、日本の内向きのタコツボ型の社会構造を壊してゆく威力があります。言い換えれば、多くの日本の組織や社会システムは、既存の仕組みが壊れて、外向きに開かれることに対して潜在的な抵抗感があるがゆえに、なかなかデジタル化が進まないとも言えます。

私たちは、これからの時代に、より良き社会の実現に向けてデジタルの力をいかに駆使しながら、どのようにタコツボ型の社会を変えていくのか。それを前向きで創造的な発想をもって考えていく必要があります。

コロナ禍が突き付ける自前の限界

近年のコロナ禍は、私たちの生活だけでなく、価値観、社会観を確実に変えました。コロナの感染拡大を経験して、私たちは、自らの生命と安全、家族や友人など身近な存在を守ることを切実に求めるようになり、医療機関や地域社会における社会的な結びつき、絆の大切さを再認識させられました。同時に、コロナ禍は、誰もが自分だけで乗り切ること（＝自前）の限界を感じ、社会の中での自らの存在意義や貢献のあり方を深く考える契機にもなりました。

こうした自前で生き抜くことの限界を感じる一方で、社会との結びつきや繋がりをより強く求める社会観の変化は、日本の組織や社会システムにも確実に影響を与えています。

例えば、産業界の多くの企業においてパーパス（Purpose）経営が盛んに言われるようになりました。従前から存在する使命（Mission）に加えて、これからは社会に対してより能動的な働きかけを行うことを明確にし、それをパーパス（目的）として定義しようという動きです。ミッションとパーパスは〝存在意義〟という点で近似したものですが、使命は何をなすべきかに重きを置き、パーパスは「自分たちが社会に対してどう貢献し行動するか」をより具体的に示す点に特徴があります。

コロナ禍で多くの企業が存続の危機に直面する中で、従業員の安全や雇用を守るという意識が高まり、顧客に対して自らの存在意義を示してゆく必要に迫られたことが背景にあります。

企業が、社会における〝存在意義〟を突き詰めることが、存続のために必要不可欠になったのです。

こうした社会的な存在意義を果たそうとする時に突き付けられるのが、他者との協力関係の必要性や、自分だけでは出来ないという、自前の限界です。

企業経営においては、〝エコシステム（生態系）〟という言葉がよく使われるようになりました。本来、エコシステムとは、相互に依存しながら共生を成り立たせるメカニズムを言います。これからは経済活動においても、地球環境を守り、社会課題を解決することを考えていかなければなりません。そのためには、競争相手と競い合いつつも、共に協力し創り上げる、つまり「競争」と「共創」を両立して全体に貢献する必要があります。エコシステムという言葉はこのことを意味しています。

ポスト・コロナの時代では、社会の課題を解決するという目的のもとで、自らの存在意義を突き詰め、他者と相互に協力して新たなエコシステムを作る。こうした〝脱自前〟のあり方が求められるのです。

脱自前とは〝本業の再定義〟

これからは、デジタル化の流れと共に今までのローカルルールが通用しなくなり、更に社会での存在意義、他者との協力関係の再構築が強く求められる時代になります。そこでは、本来自分が行うべきことは何か、他と協力してゆくことは何かを再定義することの重要性が高まってゆきます。

そこにおいて、〝脱自前〟が意味することは、自らの存在意義に基づき、他者とのつながりを新たに定義する、いわば、自らの〝本業を再定義〟することなのです。

脱自前は、自前主義を全否定するものではありませんが、過去の常識に基づく自前の考えを見直すことで、自らの存在意義や本来の強みを見出し、新たな可能性を拓く創造的な考え方です。ここで留意すべきは、「過去の自前の範囲が、自分の可能性の全てではない」ということです。

今まで自らが決めてしまっていた守備範囲から抜け出し、外とのつながりを作り直すことで、自らの新たな可能性と遭遇すること、言い換えれば、過去の自分の固定観念から脱することを意図したものです。

脱自前という〝本業の再定義〟は、「内向きなタコツボ社会」を構成する個人、企業、行政組織、社会システムの全てにおいて求められます。「自前主義」の殻を破り、新たなつながりを作り上げることで、内向きの社会構造が変わりはじめ、日本が「成長」できる可能性が拓けるのです。

〝脱自前〟から始まる「成長」への道のり

本書は、「失われた30年」の間、日本社会の変革を妨げてきた、「自前主義に裏打ちされた内向きなタコツボ社会」を内省し、更にそれを脱して、これからの日本の「成長」に向かう道筋を導き出すことを狙いとしています。

人口減少下の日本における「成長」には、最大の資源である「人材」の価値をいかに高めるかが王道です。人口が減少しても、質を高めて、一人当たりの付加価値を伸ばし蓄積することができれば、決して衰退することはありません。日本において人は財産、つまり「人材」ではなく「人財」なのです。

これからの日本の成長には、「一人一人の付加価値を高めること、更には、それらをベストに組み合わせることで社会全体の付加価値増加に繋げる」という視点を持つことがより重要になってきます。

〝脱自前〟は、デジタル化の時代を念頭に、人でなくてもできることは機械やコンピューターに任せ、更には他の人と協力できる部分を広げながら、究極的には、自分の強みや個性が最も発揮できる〝本業の再定義〟をして、それぞれの人財の付加価値を高めて「成長」に繋げる考え方です。

〝脱自前〟は、新たな成長の可能性を広げるために、今後あらゆる分野で求められてゆきます。

例えば、産業競争力を高めるイノベーションにおいて、企業や業界の垣根を超えたオープン・イノベーションが益々求められます。世界的なテーマである脱炭素化は、個人、企業、産業、国家間のあらゆるレベルで、自らの貢献だけでなく、他との連携を前提とした地球規模での取り組みが不可欠です。地域活性化においても、地域間、官民が一体になった取り組みが必要不可欠ですし、教育、雇用においても、学校、企業、地方自治体などによる協力が必要です。過去にそれぞれ役割を担ってきた主体が、自前では賄いきれない重い課題に、産官学が役割分担したり協力したりして取り組んでいくことがより求められるでしょう。

日本の「成長」のシナリオを端的に言うならば、「将来の社会的ニーズに応えられる事業や産業を作り、それを担える人財力を高めて、〝産業と人財のベストミックス〟を作ってゆくこと」です。言い換えれば、〝産業創出〟と〝人材育成〟の両輪が、日本社会の成長の牽引力になってゆくのです。

これからの日本社会においては、人、企業、産業社会のそれぞれのレベルで、自らの強みを活かすために本業の再定義をし、そして他との新たなつながりを作り出して、更には社会全体のベストな組み合わせを目指さなければなりません。つまり〝脱自前〟こそが、日本の未来を切り拓く成長の原動力になってゆくのです。

本書で展開されるストーリー

本書では、〝脱自前〟という共通のコンセプトの下で、この先の日本の経済社会の成長や変革のあり方に関する要諦を述べてゆきます。

企業経営の現場に携わりながら、産官学メディアに接点を持つ私の経験や独自の視点に基づいて、〝企業〟を視点の軸足におきながら、産業や社会システム全般へとマクロ的に視野を広げ、最終的には、一人一人の個人の働き方にまで落とし込み、マクロからミクロに繫げる流れで、「日本を前向きに」する成長論や変革論を展開してゆきます。

具体的には、以下の構成になっています。

第1章では、企業をモデルに〝脱自前〟を可能にするアプローチを説明します。「本業の再定義」を3つの視点から実務的に考えてゆきます。

第2章、第3章では、〝脱自前〟による成長を牽引する軸の一つである「産業創出」について見てゆきます。第2章では、新たな事業を生み出すイノベーション、第3章では、既存事業を強化し産業競争力に繫げるための〝事業や組織の脱自前〟について、実践的なポイントを論じてゆきます。

第4章、第5章では、成長を担うもう一つの柱である「人材育成」について、人財力を高めるカギを握る、雇用と教育のあり方について、〝脱自前〟の視点から目指す方向性を述べてゆきます。各テーマにおける〝脱自前〟を、より実務的にイメージしやすいように随所に事例を多く活用しています。

第6章、第7章では、〝脱自前〟の先に目指すべき「成長」の姿、更にその実現に向けた成長戦略について論じてゆきます。第6章では、脱自前により日本社会が目指す「〝成長〟とは何か」を考察します。人口減少下の日本においては、単に規模の拡大だけではない、多面的な観点から「価値を高める」ことの大切さを論じてゆきます。第7章では、成長に向けた道筋である成長戦略について、〝経営的な視点〟から課題と方向性を明らかにします。

第8章、第9章では、成長の実現に向けた変革論、「内向きなタコツボ社会」をどのようにすれば変革できるのかを見てゆきます。第8章では日本的な特性を踏まえた組織変革、第9章では、日本の経済社会システムをデジタルの力を活用して変革するアプローチを論じてゆきます。

そして終章は、〝脱自前〟を私たち一人一人の個人の問題に置き換え、これからの働き方や考え方に繋がる視点を提供してゆきます。

第1章　3つの視点で〝脱自前〟を進める

3つの視点から〝強み〟を見出す

〝脱自前〟を実現するにはどうすればよいか、そのための考え方のアプローチを見てゆきたいと思います。

〝脱自前〟は、他者との連携をオープンに推し進めることによって〝自分の強み〟を見極め、さらに伸ばしてゆくための新しい関係を構築することを目指しています。そのためには、自分の強みは何かを再発見することが必要です。

自らの強みを見つけるというのは、言うは易く行うのは難しいテーマです。ここではそのヒントになる切り口を紹介してゆきます。

まず一番身近な企業活動を例にとってお話しします。

強みを見出すうえでの基本的な考えは、自らの事業や仕事のあり方を、外部の視点から客観的かつ相対的に見直すことです。

事業を取り巻く環境は日々刻々と変化しています。当たり前と思っていた今までのやり方が既に時代遅れになっていて、他で優れた方法が誕生していることも多々あります。外部と比較して相対化することにより、自らが行ったほうが良い仕事、自分にしかできない領域、または、今は強みと言えないまでも将来に向けてより価値を高められる領域を見極めてゆくことが必要です。

具体的には、以下の「３つの視点」から仕事のあり方を見直してみることが有効です。

それは、「①分解する」「②デジタルを活用する」「③外と組む」という視点です。つまり、自らの業務や事業のあり方を要素分解して、デジタル技術の活用によって自動化もしくは代替できるか、外部のプレイヤーによって代替できるか、という観点で見直してみることです。それによって、代替しきれないもの、或いは相対的に強みが持てそうなものを特定してゆくアプローチです。

自分の仕事を「分解」する

一つ目は「①分解する」です。今まで自社の仕事や守備範囲だと思っていたものを、一度棚卸しして洗いなおしてみることから始めます。まず、自社の仕事の流れを要素分解してみることです。言い方を変えるならば、自社の仕事を〝モジュール（機能単位）化〟してみることです。

要素分解する切り口としては、（1）顧客に対する提供価値を対象にする、（2）プロセス（バリューチェーン）を対象にする、という2つの切り口があります。
（1）顧客に対する提供価値については、最終的に顧客に提供する製品やサービスの価値を見直す方法です。自社の製品やサービスが提供している価値を分解することで、より価値を高められる要素を見出すアプローチです。
例えば、現在提供している製品サービスを、製品（モノ）とサービスに分けてみる、或いは、部品に分けてみる、などと分解してみるのです。そのうえで、製品を個別に加工し直して提供することで価値が高まるもの、或いは、自社が持っていない他の商材とパッケージ化することで価値が高まるものなどを検討してみるアプローチです。
（2）プロセス（バリューチェーン）については、仕事を進めるための全体工程、バリューチェーンを分解することによって、相対的な強みと弱みを見出すアプローチです。
事業において、調達、開発、製造、物流、販売などの一連のプロセスを機能に分解してみた際に、どこに相対的な強みがあるかを検討するのです。

こうした分解作業によって、自らの仕事をモジュール化することが、本来の強みを見極める基本となる方法です。後で事例を基に説明します。

デジタルの活用を考える

２つ目の視点として、「分解」されたそれぞれの仕事について、②デジタルの活用を考えます。デジタル技術の活用にあたっては２つの期待効果があります。一つは、ＡＩ（人工知能）やロボットを活用して業務を自動化・代替するという効率化です。もう一つは、データを集めてつなぐことで、価値を増幅するという付加価値化の効果です。

まずは、デジタル技術による自動化や合理化を通して、〝やらなくて済むものはないのか〟を考えてみます。すでに世の中では様々なツールやサービスが日々生み出されており、そうした方法を積極的に活用できないかを検討します。自動化やシステム化によって代替できる範囲を広げることで、人手や時間をかける必要がなくなり、コスト効率やスピードが圧倒的に高まる可能性があります。

更にはデータを活用することによって、新たな付加価値を生み出すようなあり方を考えてゆくことも重要です。様々なデータを取得して、それを分析することによって得られる発見や洞察をサービスとして提供すれば、新たな価値を提供することが可能です。

これからは、デジタルの活用を通して、今まで人がかけていた時間や労力を減らし、それを人材の再教育やスキルアップへと振り向けることで、人間が本来持ちうる可能性（創造性、構想力、コミュニケーション力、協業力、感性、倫理など）を高め、付加価値を生み出してゆくことが重要なのです。

外と組む

そして3つ目の視点とは、「③外と組む」という発想です。全体の仕事を分解し、デジタルの活用を検討すると同時に、より優れた機能を提供してくれる存在がある分野については、積極的に外部の力を活用できないかを考えます。

意識すべきなのは、自らの弱みや、自社では持ちえない機能を補ってくれる相手先を探すことです。そこでは、現在のみならず、将来にわたっての仕事の仕方にも目を向ける必要があります。将来にわたって顧客ニーズに応えてゆくうえでは、当然ながら自社だけでは賄いきれない領域が出てきます。その際に対応できる相手先を見つけ出すことは重要です。

こうした「分解する」「デジタルを活用する」「外と組む」の3つの視点で、今まで取り組んでいた事業や仕事を、将来を見据えながら相対化して見ます。それによって見えてくるのが、本来の自らの強み、つまり将来にわたって中心（コア）とすべき領域です。

〝脱自前〟を可能にする「分解」「デジタルの活用」「外と組む」という3つの視点を通して、〝自らの強みを磨く〟ことで新たなビジネスモデルに発展させたケースを色々と見てゆきましょう。

提供価値を分解した総合水産企業

まずは「分解」を活かした事例をみてゆきます。

三重県にある尾鷲物産は1972年、地元スーパーマーケットの水産部門が独立するかたちで創業した、漁業から加工、販売までを一貫して手掛ける総合水産企業です。従前は、大手企業の下請けで行っていた水産加工と、水産関連製品を仕入れて販売する卸売が事業の大半を占めていましたが、利益率が低い分野が多く、事業の再構築が急務との危機感がありました。

尾鷲物産は、自社生産の独自商品を中心とする事業へと転換を図りました。きっかけは、量販店の要望でトレーパックでの出荷を始めたことでした。そこで顧客（量販店・外食産業）の「必要な部位を必要な形状で必要な分だけ仕入れたい」というニーズが把握できたのです。そのニーズに応えるため、加工技術を向上させ、高い加工度を要する希少部位製品の安定供給体制を構築。「部位別加工・販売事業」の展開を開始しました。

これまでは鮮魚を丸ごと一体で取り扱うことが主流で、魚の「アラ」は安値で卸さざるを得ませんでしたが、顧客ニーズに気づいて「アラ」を高値で売れる部位として商品化できたのです。大手量販店や外食チェーンとの取引も拡大し、今や部位別加工・販売という新たな事業として成立しました。

ここでの〝脱自前〟のポイントは、自社のサービスの提供価値を、鮮魚を丸ごと提供するのではなく、部位別に分解してモジュール化し、更に加工技術を磨いて付加価値を高めたことにあります。

バリューチェーンの分解で「飲食店の二毛作」

バリューチェーンの切り口から「分解」すると共に、「外と組む」という３つ目の視点を重ねることで、コロナ禍の売上減少に立ち向かうべく新たなビジネス機会を作った飲食業のケースを紹介します。

コロナ禍によって、飲食店は時短営業を要請され、夜間の売上が減少し続ける悩みを抱えていました。しかし、ランチ営業で収入減を補おうとしても、自前ではノウハウがないため実現できません。例えば、居酒屋だった店がランチを始める場合、店舗はあるものの、ランチ用の仕入れやメニュー作りのノウハウがないため、食材や時間を無駄にしてしまうリスクがあります。そのため簡単に踏み切れずにいたのです。

そこで、飲食事業を行うスパイスワークスが、従来より取引がある生産者から食材を一括で仕入れ、飲食店にランチ用のレシピや販促品（ノボリやメニュー表）をパッケージとして提供する、というサービスを始めました。飲食店は、こうした事業者と組むことで、本来の強みである調理を活かした営業に専念できるのです。今までは飲食店といえば、「仕入れ、商品開発、調理」までを一貫して〝自前〟で行うスタイルが一般的でしたが、この取り組みは「仕入れ＋商品開発」を代替するプレイヤーを組み込むという〝脱自前〟です。

この一連の動きによって、「飲食店の二毛作」が可能になったのです。バリューチェーンを分解し、外のパートナーをモジュールとして組み込むことで、元来の強みを活かして、新たなビジネス機会が実現できた〝脱自前〟の取り組みだといえます。

AI活用で菓子職人の技術伝承

次に〝脱自前〟の二つ目の視点である「デジタルを活用する」ことを通して、新たなビジネスの可能性を広げた幾つかの例を見てみます。

まずは、お菓子作りにAIを活用している事例を紹介します。

洋菓子メーカーであるユーハイムは、バウムクーヘンをつくる職人の技術を継承するために、AIバウムクーヘンオーブン「THEO」を開発しました。バウムクーヘンは10層以上にも生地を重ねて焼き上げていきますが、職人が焼く生地の焼き具合を各層ごとに画像センサーとAIを用いてデータ化することで、無人で職人と同等レベルのバウムクーヘンを焼き上げることを実現しました。

このお菓子作りにまつわるAI活用は、今までの匠の技が、各職人の〝自前〟の世界で完結し属人化されていた状況を変えました。

データ化されることにより量産が可能になっただけでなく、技術を幅広い職人たちと共有でき、後継者不足を補い、技術の伝承においても効果をもたらしました。

さらに将来的に、職人の匠の技の〝強み〟がより活かされる機会が生まれました。それは、職人の技術やレシピが「著作権」として守られる可能性が出来たことです。

日本では、著作権の保護の対象は文芸、学術、美術、音楽に限定されており、レシピは対象になっていません。職人がどれほど創造的で優れたレシピを作ったとしても著作権が認められないのが現状です。しかし、職人の技術をＡＩやセンサーによって〝データベース化〟したものが創造的であれば著作権の保護対象になりうるのです。

こうして、著作権が守られる環境にすることでレシピが広く共有されやすくなり、職人同士が創造性を刺激しあい、良いものが生まれやすくなります。

今まではアナログで自前に閉じていた職人の匠の技が、デジタル技術を活用した〝脱自前〟により、強みが更に活かされ職人の地位向上に繋がることが期待できます。

スポーツはデータ活用で「勝負」から「達成感」の世界へ

スポーツの世界においても、デジタル技術を駆使してデータ活用することで、本来の強みを活かして新たな価値を増幅させる例が出始めています。

今やプロスポーツでは、映像データ活用は当たり前になりつつありますが、特にテニス界は導入が比較的早く、2006年から電子審判システムが使われて他の競技に広がるさきがけになりました。

最近は、プロや一部の上級者だけでなく、アマチュアスポーツでも活用が広がってきています。大学や高校スポーツチームではプレーの動画分析ツールが使われたり、地域スポーツセンターではウォーキング記録等のような幅広い層をターゲットにしたデータ活用も広がりつつあります。

私はこれを「データ活用の民主化」と捉えています。スポーツにおいてデータが日常的に広く使われる「民主化」のメリットは、自分のプレーを「可視化」できることにあります。自らの課題や改善ポイントが可視化されると、自分の達成度や上達スピードを客観的に評価できるようになります。それによって、従来の勝負の結果だけではなく、スポーツに取り組む〝プロセス〟の面白さを新たに実感できるようになるのです。

つまり、データ活用の民主化は、スポーツの価値を、「勝負の世界」だけでなく「達成感の世界」にまで増幅させる可能性を秘めているのです。

「デジタルを活用する」〝脱自前〟により、スポーツは、「勝敗を競う」という従来の価値のみならず、「達成感を味わう」という新たな価値が加わり、さらに発展することが期待できるのです。

「強みを掛け合わせる」プラットフォーム型ビジネス

「デジタルを活用する」と「外と組む」を併せて実現しているビジネスモデルもあります。その典型例がプラットフォーム型ビジネスの「Makuake」です。

「新しいモノやサービスをつくりたい」という志を持っていても、実現する資金がない、もしくは、顧客がどれだけいるかわからないため、事業化に踏み出せない例は多く見られます。「Makuake」は、そうした自前では困難な顧客獲得や資金調達を代替する、クラウドファンディングのデジタルプラットフォームです。

クラウドファンディングとは、資金を必要とする作り手がオンラインサイトでプロジェクトを立ち上げて、不特定多数の人から資金を集め、後日リターンを返す仕組みです。更に「Makuake」では、テストマーケティングとしてターゲットユーザーの反応を探ったり、初期ユーザー獲得によって売上を早期に確保したりと、様々な機能を提供しています。作り手は、クラウドファンディングという「外と組む」ことで、自前での資金調達やテストマーケティングの必要がなくなります。

具体的に、クラウドファンディングを利用して商品化を実現した例として、「地球に優しいメガネ『PLAGLA』」があります。「PLAGLA」は使用済みのペットボトルをリサイクルして作られたもので、日本製メガネの生産シェア9割を誇る福井県鯖江市で製造されています。「リサイクル技術を活用し人と地球環境に役立つ商品を作りたい」という目標を掲げたスタートアップ企業オウン合同会社が、ペットボトルをリサイクルしてフレームづくりをする鯖江市の工場と出会って開発を進め、商品化にあたっては「Makuake」を利用して資金調達や初期ユーザーの獲得を行いました。

つまり、三者がデジタルを活用しながら、「弱みを補い、強みを掛け合わせる」形で外と組んだ〝脱自前〟の事例といえます。

「3つの視点」で磨いた町工場の強み

これまで〝脱自前〟を可能にする3つの視点「分解する」「デジタルを活用する」「外と組む」のアプローチを見てきましたが、この3つの視点の全てを活用して強みを磨いている事例を紹介します。

町工場の浜野製作所はこれまで50年以上、金属加工を主要事業としており、熟練の職人が優れた技術を持っています。近年は新たな試みとして、新製品をつくりたいスタートアップなど企業向けの「ものづくり相談サービス」を提供しています。

浜野製作所は、もともと2014年に最新デジタル工作機器を備えたものづくり実験施設「Garage Sumida」を開設していました。そこでスタートアップ等からのハードウエア設計や量産化に関する相談を受け付け、経験豊富な職人や設計者が対応していました。コロナ禍では、スタートアップ等との連絡ツールとしてチャットを使い、不具合や疑問点が発生したらビデオ会議を行い、きめこまやかなアドバイスを提供する方法を取り入れました。

更には、相談という関係を越えて、新規事業創出のパートナーとして、構想段階から設計・プロトタイプ開発、量産化までを一気通貫で行う共同開発サービスにも発展しています。実際にこれまでスタートアップと共に電動車いす、風力発電設備、アスパラを自動収穫する農業用ロボット等、数多くの製品を世に送り出しています。

こうした取り組みを通して、今やスタートアップや大手企業から年間200〜300

件の相談があり、浜野製作所では売上全体の約3割を占めるなど新たな柱となる事業に成長しました。

この事例を、〝脱自前〟の3つの視点から分析してみたいと思います。

まず、視点1「分解する」についてです。浜野製作所は、従来は部品加工や素形材加工といったものづくりを行ってきました。そこにおいて、顧客に対する提供価値は、部品や素材という実際のモノの提供です。

しかし、自らの提供価値を分解し、自社の「強み」を、職人の匠の技やノウハウにもあると認識し、それをモジュール化しました。ノウハウ自体を提供価値として、製品の提供とは別にサービス展開（ものづくり相談サービス等）できたことが、その後の成長に繋がったのです。

次に、視点2「デジタルを活用する」については、コロナ禍というピンチがあったが故に、サービス化されたノウハウを、オンラインを通してバーチャルで伝える形態が生まれました。デジタルを活用することで、遠く離れた場所にあるスタートアップからも相談を受けることができ、業容拡大に繋がりました。

視点3「外と組む」については、自治体や他のプレイヤーとの連携があります。今後、浜野製作所は、地元の自治体とタッグを組み、量産ステージのスタートアップを支援する拠点を公共施設内に立ち上げる計画です。そこでは、スタートアップ向けに量産試作から組み立て工程の本格的な支援を行う他、企業や地域住民などを集めてモビリティやロボット、福祉等に関する新製品やサービスを実証していく場としても活用し、行政、大学研究機関、大企業、スタートアップ企業らと共に「ものづくりエコシステム」を形成していくという構想です。

〝脱自前〟の３つの視点から〝本業を再定義〟することによって、自らの強みを更に活かして新たな成長を遂げている好事例と言えます。

〝本業の再定義〟がもたらすメリット

このように「３つの視点」によるアプローチによって、全体の仕事を分解し、デジタル活用、外部プレイヤーとの連携を積極的に検討することで、本来の自らの強みであり、将来の成長に繋がるコア領域である〝本業〟の姿が見えてきます。こうした〝脱自前〟による〝本業の再定義〟には大きな意味があります。

一つは、経営資源（リソース）のかけ方の選択と集中、資源の再配分の観点です。今までをすべて自前で賄っていたが故に、本来必要な領域以外に時間や労力が費やされていました。それを削減し、本来かけるべきコア領域にそのエネルギーを傾けることができることは大きなメリットです。

もう一つは、外部プレイヤーと新たな関係が出来ることです。外部の多様なプレイヤーと積極的に組むことにより、今まで触れることがなかった情報が入るようになり、新たな気づきが増えるのも大きなメリットと言えるでしょう。

こうしたコア領域への資源集中と、外部との接点拡大は、自前に閉じていた過去には想定し得なかった新たな境地を切り拓くことになるのです。

〝本業を再定義〟し価値を高めたJリーグ

自らの生業を再評価し、本業を再定義して、強みを最大限に発揮する。そうして価値を高めた事例に、Jリーグがあります。

Jリーグには全部で58のクラブがあります。当然、各クラブで多様な意見がある中で、前チェアマンである村井満氏が、就任当初に全会一致で決めたのが「裏側の〝デジタルプラットフォーム〟はJリーグ側が受け持つ。同時に、各クラブはサッカーに注力する」という方針でした。

個々のクラブが自前でITに投資をすると、クラブの財政にとって大きな負担ですし、実際には重複する部分も多く発生します。そこでJリーグがEC（電子商取引）やデータ記録、ファンエンゲージメントなどのシステムを受け持つ代わりに、クラブは「本業」であるサッカーを競い合う、という戦略にしたのです。

それからは、北海道から九州・沖縄まで、気候風土はもちろん、地域住民との距離感が全く異なる中で、それぞれのクラブは自分たちの目指すサッカーを言語化し「おらが町のサッカー」を磨くことを徹底しました。Jリーグのデジタル改革のスタートは、〝本業の再定義〟でもあったのです。

「支える」モジュールが生み出した「シャレン！」

更にJリーグは、プロスポーツの持つ役割を再定義し、「プレーする」「観る」「支える」という3つのモジュールに分解しました。そして外部の様々なプレイヤーと組むことで、社会的な意義を広げる活動を展開しました。

そのひとつが、Jリーグの地域課題解決の活動「シャレン！」です。

「シャレン!」は、積極的な社会連携により、地域の課題解決に貢献する取り組みで、世界にも類がない活動です。3つのモジュールの中の「支える」に当たります。

例えば、福島ユナイテッドでは、クラブ内に農業部を作り、地元農家と一緒になって、選手が生育から収穫までを行っています。さらに「ふくしマルシェ」として、ホーム、アウェーに限らず、全国の試合会場に出店し、今では公式オンラインショップも開設するなど、農業支援にとどまらない、新たなビジネスとして期待されています。横浜F・マリノスは、新型コロナウイルスの影響で客足が遠のく飲食店と住民を結ぶことを目的に、ファンやサポーターなどから情報を収集し、ネット上に、「ホームタウン テイクアウトマップ」を作成して貢献しています。ガイナーレ鳥取は、現役選手やスタッフが子どもたちと一緒に公園遊びを実施し、外で仲間と楽しく過ごすことの大切さを伝えています。地域が抱える課題を、各クラブが多くの人々をつなぐ〝ハブ〟となり解決しているのです。

このようにJリーグは、自らの役割を「分解して」モジュール化し、「デジタルの活用」、更には、「外と組む」という3つの視点を通した〝脱自前〟を実践することで、社会的な存在意義をより高めたのです。

〝心の豊かさ〟という大義ある連携

Ｊリーグは、〝本業〟を再定義することによって、今までの固定観念では実現出来なかった企業や地域社会との連携をも生み出しました。

従来、企業とプロスポーツとの関わりは、スポンサーという形で選手を支援し、その代わりに自社や自社製品の広告宣伝をしてもらうというメリットを得るものでした。その一方で、株主から見た場合に、投資効果が見えにくいという課題も抱えていました。企業がより積極的にスポーツに関わるには、単なる広告スポンサーを超えた、社会課題解決のパートナーとしての〝大義〟が不可欠でした。

本来スポーツには、感動によって人の心を動かせるという〝強み〟があります。Ｊリーグには〝心の豊かさ〟をもたらすことで地域社会に貢献する大義がありました。

企業や地域自治体は、こうした〝大義〟を共有することによって「内向きなタコツボ」を脱して、Ｊリーグをハブに新たな関係を作り出すことが出来たのです。

スポーツが持つ〝本来の強み〟を活かした企業や地域社会との連携は、「他者との連携を推し進めることで、自らの〝強み〟を見極め、さらに伸ばす」という〝脱自前〟のあり方を教えてくれる取り組みなのです。

第2章　〝脱自前〟がイノベーションを加速する

日本はイノベーションが苦手なのか

日本が成長するためには、新しい産業を生み出す「産業創出」が必要です。そのカギとなるのがイノベーションです。

イノベーションの大家である経済学者、ヨーゼフ・シュンペーター氏は、既存の組み合わせを変える「新結合」という概念でイノベーションを説明しました。「分解」「デジタル活用」「外と組む」という3つの視点による〝脱自前〟は、新たなる組み合わせ（新結合）を促します。つまり、〝脱自前〟は、成長を牽引するイノベーション力を高めることにつながるのです。

一方で、昨今「日本はイノベーションが苦手だ」という議論をよく耳にします。そもそも日本にはイノベーションを起こす力や資質が乏しかった、という悲観的な見方もあ

ります が、私は決してそうは思いません。

日本は新しいものを生み出すのが苦手なのではなく、既存のものに重きが置かれすぎた結果、新しいものを受け入れて全体を大きく変えることが出来なかったのです。特に「失われた30年」という言葉が象徴するとおり、1990年代以降の日本にその傾向が顕著です。

日本は、バブル崩壊、さらにリーマン・ショックの痛手から立ち直るべく、足元を固め、事業を継続することを最優先の課題にしてきました。そのため新しい事業に投資することが中々できませんでした。その背景には、経済大国の地位を確立したからこそ抱える2つのジレンマがあります。

まず1つは、高度経済成長の結果として一定の豊かさを享受しているが故に、新たなものを生み出さなければならないという、危機感が乏しいこと。さらに2つ目は、今までの成功を支えてきた社会システムの完成度が高いために、既存のものを壊して新しいものを広めるためにはエネルギーが相当必要になることです。

ゼロから作り上げられる社会に比べて、既存の仕組みが出来上がっている社会は、新たなものを広げる難度は高いのです。

つまり、日本は、新しいものを創り出す以上に、それを社会や組織全体にスピーディーに広げることに大きな課題があるのです。

今後、日本のイノベーション力を高めるには、新たなものを生み出すエネルギーを高めることと同時に、既存の仕組みを乗り越える〝変革力〟を高めること、の両方が求められるのです。

イノベーションは〝自分事〟

イノベーション力を高めるには、新たなものを生み出すことについて、〝自分事〟として向き合う人のすそ野を広げることが必要です。そこで大事になるのが「イノベーションとは何か」の捉え方です。

「イノベーション」と聞くと、とかく発明的なもの、先端技術なしにありえないもの、世界に衝撃を与える大きなインパクトが必要などの固定観念が先に立ち、自分とは無縁の〝他人事〟として捉えがちです。

私は、ここに大きな誤解があると思います。

本来イノベーションとは、「社会や顧客の深層的な問題、認識されていない潜在的な課題を、過去にない革新的手法で解決すること」を意味します。つまり、技術革新にとどまらず、新しい価値を生み出す行為を幅広く包含する概念です。例えば、ＯＥＣＤ（経済協力開発機構）の「オスロ・マニュアル」では、イノベーションを「プロダクト・イノベーション（新しい製品やサービスの革新）」「プロセス・イノベーション（生産、物流、販売等の一連のプロセスの革新）」「マーケティング・イノベーション（マーケティング手法の革新）」「組織イノベーション（組織運営の革新）」の4つに分類しています。

ここで重要なことは、イノベーションはインベンション（発明）ではなく、それをも含む広い概念だ、ということです。イノベーションとは、特定の分野の一部の天才やエンジニアだけが起こすものではなく、私たちの誰もが日々の取り組みの中で起こしうるものだということです。顧客ニーズや社会課題を起点にして、自らの思考を変えることから始められる、いわば〝自分事〟と捉えることが大切なのです。

勿論、革新的な課題解決のためには、先端的なテクノロジーや科学技術の知見が求められるケースが多いのは事実です。しかし、高度な技術がないとイノベーションを興せないわけではありません。そうしたイノベーションの捉え方を見直すことで、イノベーションに携わる人や対象範囲を増やすことが必要です。

それでは、〝自分事〟がイメージしやすい、身近な生活から生まれたイノベーションの取り組みを見てゆきましょう。

マーケットを創出する「アップサイクル」

これからの日本では、環境問題に対する対応は、企業だけでなく家庭を含めて全ての場面で求められてゆきます。ここでは、家庭で使用済みになった製品をリサイクルやリユースするだけでなく「アップサイクル」した取り組みを紹介します。

「アップサイクル」とは、古いものに新しいアイデアを加えることで別のモノに生まれ変わらせ、価値を高めることを意味します。企業にとっては、資源の有効活用をしつつ、新しい製品カテゴリーとしてマーケットを創出できるメリットがあります。

例えば、身近な事例として、不要になった化粧品を捨てるのではなく、絵具にする取り組みがあります。この取り組みは、家庭ごみの量を減らす、という直接的な効果の他に、絵具は親子が一緒に利用できるため「不要になったらごみにするのではなく他の用途で使えないか考えよう」という意識づけになり、教育上の観点でも意義は大きいのです。

今後、家庭や企業において「捨てるという固定観念を覆す」という意識の下、従来はなかった着眼点でアップサイクルを生み出す余地は沢山あります。身近なところからイノベーションのすそ野を広げることは十分に可能なのです。

「優しさ×安全」という日本らしさ

日本において、障がい者の自立支援や高齢化対策は、世界に先んじて解決すべき社会課題です。社会課題解決型のイノベーションの一つとして、日本の自動車メーカーのエンジニアが開発した視覚障がい者向け歩行支援機器(「あしらせ」)があります。これはスマートフォンのGPSとデバイスを活用し、歩行のナビゲーションをするというソリューションで、その特徴は、靴に装着したデバイスの〝振動〟で知らせることで、聴覚を邪魔せずに視覚障がい者を誘導できる点です。

この開発の裏側には、日本らしいイノベーションの力があります。

それは「使い手に優しく寄り添う発想力」と「安全にこだわる作り手の技術力」の掛け合わせです。

このサービスについて、開発者は「靴の中に仕込んだ仮想〝点字ブロック〟」と評していましたが、実は、日常に広く使われている「点字ブロック」は、日本で発明されて世界に広まったものです。

狭い国土の日本にあって、目の不自由な障がい者の立場に立って考案された、いわば「使う側に寄り添った発想」から生まれたのです。「点字ブロック」は、高度なテクノロジーありきでなく、日本社会の人に対する細やかな気遣いや思いやりの文化的素地があってこそ生み出され、社会インフラとして広く活用されるに至ったイノベーションです。

更に、今回のサービスを可能にした技術として注目すべきは、自動車業界の自動運転に関連する技術や衛星技術の活用です。自動運転技術においても、正確な位置情報取得をはじめ、日本の自動車メーカーは安全性に対する意識が高く、この〝作り手の安全意識〟の高さは日本の特長だと思います。

今や日本における在宅の身体障がい者のうち7割を65歳以上が占め、高齢化が深刻な課題になります。高齢者・障がい者の次世代自立支援機器の商品やサービスへのニーズは益々高まります。

「使い手に寄り添う発想力」と、世界で最も安全にこだわる「作り手が手掛ける技術力」を組み合わせた〝日本らしさ〟は、イノベーションを生み出す原動力になりうるはずです。こうした日本が有する作り手の強みを再認識することにより、今後も世界に誇れるソリューションを生み出すことが出来るのです。

こうした取り組みから分かるように、日本はイノベーションが苦手ではなく、身近なところから、日本らしさを活かしてイノベーションを興す余地は大いにあると言えるのです。


コワーキングスペースが生むオープン・イノベーション

ここからは、〝脱自前〟によってイノベーションを興した身近な取り組みを見てゆきます。最近は、スタートアップと大企業の組み合わせによるイノベーションが注目されていますが、双方が、コワーキングスペースでの出会いからオープン・イノベーションにつなげた例があります。

異業種との交流を目的に、アサヒビールと大日本印刷はそれぞれコワーキングスペースに入居し、スタートアップのFULLLIFEとともに、若年層に向けたビールの新しい価値提案というテーマで協業をしました。結果として、果汁氷が浮かぶ新感覚のビアカクテル「BEER DROPS」を開発し、若年層向けにこれまでにない新たな飲み方を提案することができました。コワーキングスペースでの出会いから、商品を開発し、全国発売するまでかかった期間は約半年と、通常の商品開発と比べるととても速いスピードで実現できたことが特徴です。

この成功の背景には二つの理由があります。

一つは、それぞれの企業が「何か新しいものを生み出したい」という強い思いを共有できたことです。例えば、片方の企業がもう一方の企業に新商品の企画を提案する場合、商品開発に時間がかかってしまいますが、あらかじめ思いが共有されているとスピーディーに進めることができます。

二つ目は、コワーキングスペースという、「偶然の出会いを生む『場』」の存在です。コワーキングスペースでは、ワークショップやネットワーキングイベント、メンバー専用のSNSもあり、異業種の人と偶然出会うきっかけが多数あります。お互いの狙いや強みを理解しながら、〝自前〟では実現できないビジネスにつながる〝場〟の意義は大きいのです。

このように〝脱自前〟によるイノベーションにおいては、お互いに目的を共有し、自由闊達に交わる場づくりも大きな意味を持つのです。

〝脱自前〟が起業を加速する

日本は、開業率が低いことが課題と言われますが、今後は〝脱自前〟によって、起業（スタートアップ）時の課題を解決することも可能になります。

開業を妨げる大きな要因として、起業時のリスクとコストがあります。これまで起業する側がリスクとコストを〝自前〟で賄う考え方が常識でしたが、今後は、「外と組む」ことを通して起業時のリスクとコストを軽減することが有効です。つまり〝脱自前〟によって起業しやすくなるのです。

例えば、起業を支援する〝脱自前〟の事例として、美容師向けのサービスがあります。腕を磨き若くして独立する美容師が最近増えていますが、いざ独立するとなると、開業前に出店場所の選定・契約、設備の購入、コンセプト・内装の検討、宣伝等、様々なことを自前で行う必要があり、初期費用とリスクが大きいという課題があります。

そこで、出店場所の選定・契約、設備の購入を請け負い、美容師自身は接客に専念できるというサービスが生まれました。

それが完全個室型美容院モール「ＴＨＥ ＳＡＬＯＮＳ」です。これは定額料金で完全個室型サロンを開業できるサービスで、美容師にとっては、自分で一から店を構えるよりも初期費用が低額となり、更に、経営・集客・宣伝のノウハウについてもアドバイスを得ることができるので、経営上のリスクを減らすことが出来ます。その結果として、美容師はお店作りやお客様への接客・施術、技術の向上に専念し、本業の強みを更に磨くことが出来るようになったのです。

フードトラックを活用した料理人の起業支援

このような起業支援サービスは、最近色々な業界・業態で増えてきています。

例えば、起業したい料理人がプラットフォーマーを利用することで、起業のリスクとコストを軽減した例があります。最近、オフィス街や公園で増えているフードトラックもその一例です。

自分の店を開きたい料理人にとって、店舗型の飲食店よりもフードトラックの方が、開業コストが低く、少ない人数のスタッフで運営できるため、開業時の選択肢の一つになっています。一方でフードトラックを出店するには、実はメニュー選定、車両選び、営業場所の確保、保健所等への手続き、営業、宣伝等を自分で行う必要があり、開業に二の足を踏んでしまう面もあります。

そこで、スタートアップ企業のMellowは、空き地の所有者と料理人とをマッチングして、出店場所を確保するフードトラック向けプラットフォームを提供しています。これにより、料理人は開業準備の負担を減らすことができます。更に、フードトラック開業パッケージを利用することで、開業前のメニュー選定、車両選び、保健所や保険の手続き、宣伝についても全て自前で行う必要がなくなり、料理人は自分の強みである料理に専念することができるようになりました。

このように、本来は自前で担っていた役割を外部のプラットフォーマーに任せることで、開業のリスクとコストを軽減することができるのです。

それによって起業のハードルを下げ、起業の輪が更に広がってゆくことが期待できます。

〝脱自前〟で変わる企業の〝境界線〟

社会課題解決を目指した新規事業や、それに繋がるイノベーションのニーズは高まる一方です。しかしながら、社会課題の解決は、企業が単独かつ自前で全て行うのは不可能です。まさに他社との協業を前提とした〝脱自前〟は、今後、益々重要になってゆきます。

これからは、デジタル化により、ヒト・モノ・情報・場所などがつながっていきます。そうした世界の中では、企業において、何を外部と共有し、何を自社に閉じておくのか、というオープン・クローズ戦略がより重要になってきます。これは、企業の〝境界線〟のあり方を再定義することを意味します。つまり、オープン・クローズの戦略的判断の巧みさが明暗を分けるのです。

たとえば、オープンにすることは、類似事業・機能の集約による効率化ができることに加えて、異なる企業同士が交わることで新たな価値を生み出すオープン・イノベーションの効果が生まれます。一方、自社でクローズにすべき事業・機能に集中して強化することは、他に真似できない革新性を生み、希少価値を高めます。

今後は、オープンとクローズを使い分けて境界線をより柔軟にすることで、従来は自前で得られなかった生産性や創造性を高める〝脱自前〟のメリットを最大限に得てゆく、戦略的な判断力が問われてくるのです。

「社会益」がオープン・イノベーションの突破口

しかしながら、実際の企業の現場においては、これまで自前で閉じて行っていた事業や機能を、いきなり外部に出すことへの抵抗感や恐怖感が根強いのが実態です。この抵抗感が続く限りは、いくらデジタル化が進展しオープンな環境が用意されても、〝脱自前〟の企業間連携は進みません。

経済産業省によるオープン・イノベーションに関する調査を見ると、10年前と比べてオープン・イノベーションの活発度合に変化がない企業が半数近くあります。また、同調査によると、自社単独での開発が6割を占めるという実態が明らかになっています。日本ではまだスローガン先行で、いまだに〝自前主義〟が根強く残っていると言えるでしょう。

多くの日本企業に染みついた自前主義的な価値観を打破して、オープンに新たなパラダイムを構築するには何が必要なのでしょうか。

そこでは「社会益」という、一段上の〝共通の大義〟を持つことがオープン化の突破口になります。中長期的な時間軸に立って、目先の利害を超えて社会でどのような役割を果たすか、「社会益」に対してどう関わるか、という自社の存在意義を明らかにすることです。それにより、いざ社会益を創造しようとすると、自社単独の投資や技術だけでは不足し、他の企業と共同で取り組まざるを得ない理由やその対象が自ずと明確になるのです。

社会益で繋がった「LOHACO」

社会益という共通理念の下に業界の異なる企業同士がオープンにつながっている事例として、「LOHACO ECマーケティングラボ」の取り組みがあります。
通販サイト「LOHACO」を運営するアスクルは、2014年に「LOHACO ECマーケティングラボ」(以下、ラボ)を開設し、ビッグデータの分析・活用、新商品開発などの取り組みを始めました。
ラボでは、個人情報を除いた形で、購買データをメーカーの垣根を越えてオープンに共有しています。具体的には、メーカー各社は、アスクル社のTableauやAdobe Analyticsといったソフトを利用し、自由に自社商品のデータ分析を実施できるのです。

そのうえでラボの活動を通じてアスクルとメーカーは共同で商品開発を行っています。ビッグデータを活用し参加メーカーと共に商品開発した例として、「暮らしになじむ」をコンセプトにした一連の商品があります。具体的には、日用品メーカーや飲料メーカーとコラボし、オリジナルデザインの除菌&消臭剤や、生姜とハーブを使った健康麦茶などを商品化し、ＬＯＨＡＣＯで販売しました。

このように、購買ビッグデータ分析を介して、メーカーは自社単独では接点のない幅広い生活者にアプローチし、購買行動への理解を深めることができます。更には、２０１９年８月にスタートしたサービス「LOHACO Insight Dive」では、データ活用の範囲を広げ、メーカーの保有する顧客データとＬＯＨＡＣＯの行動・購買データをデジタル上で連携させ、メーカーのマーケティングにつなげていくことでメーカーの活動を支援しています。

これまでは、消費財メーカーが取得できる顧客情報は限定的で、真の顧客ニーズを把握できないため、自前では効果的な商品開発やマーケティングを行うことが出来ませんでした。それを、消費財メーカーとＥＣサイトがオープンにデータをつなぐことで、連続的なデータを通して顧客ニーズ把握の精度が向上しました。その結果、データ分析を基に商品を共同で開発することが可能になり、〝脱自前〟による様々な斬新な商品を生み出すイノベーションに繫がりました。

成功要因は理念の共有

ラボによる〝脱自前〟が成功した要因はどこにあるのでしょうか。成功の要因の１つとして「中長期的な視点で社会に新たな価値を提供しよう」という社会益に通じる理念が根底に存在していたことがあります。

元来、ＬＯＨＡＣＯを運営しているアスクルには、「三面鏡経営」という経営理念がありました。「三面鏡経営」とは、最も重要なステークホルダーである「顧客」をベースにしたうえで、「資本市場（株主）」「従業員」「社会」の３つの価値に焦点を当て、これらの価値に対して自らの行動を常に照らし合わせ、中長期の視点から経営をする、というコンセプトです。「三面鏡経営」は、顧客を前提に資本市場を含めたマルチステークホルダーを意識しながら個社益を追求するという点で、現代版の「三方よし」のコンセプトです。

三面鏡経営という理念が根付いていたからこそ、異業種企業と理念でつながり、〝脱自前〟による新たな価値創造ができたのです。「社会益」の理念のもとで、自社の強みを明らかにし、存在意義を再定義する〝脱自前〟の発想は、すべてがつながるデジタル化の時代だからこそ、従来に増して意味があるのです。

「現場エコシステム」という強みを活かす

今後、日本の強みを活かして、〝脱自前〟によるイノベーションを興すための重要なキーワードは〝現場〟です。ここでは、現場とは、社会益のために、企業や個人が多様に交わりあう「場」、供給側と需要側との間で化学反応が起きて価値が創造される「場」と定義します。

本来日本は「現場」に強みがあります。高度な技術やノウハウを基にした製品やサービスの生産側と、品質に対して「世界一厳しい」と言われるユーザーや消費者側が、お互いを磨き合って高めてきた経緯があるからです。

異なる考え方を一つにまとめ上げる「擦り合わせ」の力は、日本の生産現場の強さの象徴です。同時に、「和洋テイストの融合」など一見矛盾するものに価値を見いだす消費者も、「ジャパンクオリティー（日本品質）」を生み出す現場力の象徴です。

今後、現場の強みを〝競争力〟に変えるには、「内向きなタコツボ」に陥らずに、多種多様なプレイヤーとの開かれた〝共創〟を推進する〝脱自前〟のスタンスが大事です。それは多様なプレイヤーがオープンに交わり課題を解決するエコシステム（生態系）としてイノベーションを興す場、いわば「現場エコシステム」です。

日本の「現場」という本来の強みを、〝脱自前〟で一段と外向きにオープンに磨き上げた「現場エコシステム」が、イノベーション力を高め、これからの成長を牽引する力になるのです。


官（自治体）起点によるイノベーション創出の仕掛けづくり

「現場エコシステム」を形成するうえでは、民間同士のみならず産官学の連携のあり方も重要です。

最近、産官学の連携は各地域で徐々に広がりつつありますが、ここでは、「官（自治体）」が主導して地方の現場からエコシステムを作り、イノベーションへ挑んでいる例として広島県の取り組みを紹介します。

地方では地域企業のデジタルトランスフォーメーション（DX）の遅れや、首都圏と比べてスタートアップが生まれにくいという課題を抱えています。そのような課題を打破しようと、広島県では「イノベーション立国」を目指し、イノベーション創出に向けて、意識啓発、実証・チャレンジ支援、事業化支援、人材育成、環境整備等、幅広い取り組みを行っています。

広島県内では産官学に金融機関を加えた「産官学金」が連携する取り組みが多数あります。例えば、「ひろしまものづくりデジタルイノベーション創出プログラム」では、ものづくり分野の研究者が集結する広島大学を中心に、自動車製造業等の産業界、県内大学、地域金融機関、行政が連携し、先端的な研究開発とデジタルイノベーションを担う人材（データサイエンス人材やデジタルものづくり人材など）の育成・定着を行っています。

また、資金面については広島県100％出資で設立された「ひろしまイノベーション推進機構」が支援しています。同機構は、広島県や地域の金融機関・民間企業からの出資によりファンドを立ち上げ、県内経済圏の企業への投資や経営ノウハウの提供を行っています。自治体、金融機関、民間企業が地域経済活性化を支援しているのです。

エコシステムのすそ野を広げる〝サンドボックス〟

「現場エコシステム」を起点にイノベーションを興す取り組みとして、2018年からスタートした「ひろしまサンドボックス」があります。これは、「広島県をまるごと実証フィールドに」をキーワードに、AIやIoT（インターネットオブシングス）、ビッグデータ等の最新のデジタル技術を活用し、地域課題や行政課題などの解決に向けて、まさに砂場（＝サンドボックス）で遊ぶように試行錯誤できる場のことです。

「ひろしまサンドボックス」の具体的な活動としては、例えば、広島の名産である牡蠣に関する「スマートかき養殖IoTプラットフォーム」の構築を行っています。牡蠣養殖では、牡蠣の幼生をホタテ貝などに付着させる「採苗」工程が重要ですが、年によっては海洋環境の変化などにより採苗不良や育成不良が起こる課題を抱えていました。そこで、大学を中心に、自治体、養殖業者、通信事業者、ドローン事業者等がタッグを組んでコンソーシアム（共同事業体）をつくりました。そこでは海水温・風速・栄養状態、幼生数の分布状況等のリアルタイム海洋データをセンサーやドローンを用いて収集し、AIで自動的に処理して、養殖業者にスマートフォンの専用アプリで配信する、というプラットフォームを作り出しました。

さらに広島県は、起業したい個人向けには、短期集中型のビジネス構築プログラム「Campsアクセラレーションプログラム」を開催するなど、イノベーション人材育成にも熱心に取り組んでいます。また、先輩起業家・経営者や専門家等の外部メンターによるメンタリング機会や、参加者間の交流の場やVC（ベンチャーキャピタル）とのマッチング機会も得ることができるようになっています。

すそ野を広げるための2つの特徴

このような広島県の取り組みは、イノベーション力を高める「現場エコシステム」の作り方において、以下の2点に特徴があります。

一つは、〝参加者のすそ野の広さ〟です。自由提案型の実証プロジェクトや、課題解決をしたい個人や企業間のマッチングサービスでは、年齢・業種の制限はなく、〝熱意のある人であれば参加できる〟ようになっています。イノベーションというと「一部の人だけが取り組むもの」、「特別なテクノロジーが必要なもの」という狭い理解をされがちですが、課題に気づき解決への熱意があればイノベーションを起こすチャンスは誰にでもある、という明確なメッセージのもと、制限なしに参加できる点に特徴があります。

二つ目は〝県外企業の存在〟です。「ひろしまサンドボックス」には県内の企業・団体・個人のみならず、県外の参加者も多く参加しており、全体の参加者の3分の1を占めています。実証プロジェクトやマッチングサービスにおいても、広島県の課題を解決するためであれば、県外の企業もエントリーできるようになっており、参加者のすそ野を広げています。実際に前述の「スマートかき養殖IoTプラットフォーム」の活動では、プロジェクトの旗振り役を県外の大学が担っているほどです。このように、地元の企業にこだわらず、〝脱地元〟で、課題解決に必要な技術やノウハウを持つプレイヤーをオープンに巻き込んでいくエコシステムが重要なのです。

学（大学）の機能拡張がもたらす連携の進化

「現場エコシステム」によるイノベーションにおいて、産官学の「学（大学）」を起点に取り組んでいる、東北大学の事例を紹介します。

宮城県の東北大学では、青葉山新キャンパスを拠点に、「産官学が結集して、大学とともに社会価値創造を行う共創の場」というコンセプトで「サイエンスパーク」を整備しています。従来から大学は、人材育成や研究開発、社会価値創造といった機能を有していましたが、サイエンスパークではそれらの機能をさらに拡張しています。大学をハブにして、研究機関や民間企業、ベンチャー企業、金融機関、NPO団体、市民、自治体等の多様なプレイヤーを巻き込んでコミュニティを形成し、新産業創出、地方創生におけるイノベーションを興そうとしています。

この取り組みの特徴は「大学がハブになる」ということです。大学がハブになることで、民間企業からすると業界の垣根や競合関係を気にせず、幅広い企業とつながって共創することができるメリットがあります。また、企業が大学と一体となって活動することで、大学の名刺を持って動くことができるようになります。これはつまり大学の信用力を一時的に借りることができるので、コミュニティに参画するモチベーションにつながります。

「ひろしまサンドボックス」、東北大学の「サイエンスパーク」のように、産官学が連携した「現場エコシステム」を全国各地で広めることにより、日本のイノベーション力を高めてゆくことが大切なのです。

第3章　〝事業の脱自前〟が高める産業競争力　～ポートフォリオ変革とM＆A

なぜ日本企業の収益性は低いのか

第2章では、日本の成長を牽引する軸の一つである「産業創出」について、〝脱自前〟によってイノベーション力を高める可能性を見てきました。

ここからの第3章では、イノベーションとともに重要になる、既存の事業や組織を変革して産業競争力を強化するために求められる〝事業の脱自前〟について見てゆきます。

日本の産業競争力を考えるうえで、企業の生産性や収益性の低さは、長年問題視されています。足元の収益性を高めることは、中長期的な競争力強化に向けて避けて通れない必須条件です。

では、なぜ日本は収益性が低いのでしょうか。

その大きな理由の一つに、事業の〝選択と集中〟が進みにくいことがあります。背景には、自らの組織で多様な事業を運営する〝事業の自前主義〟があります。その結果として、自社のグループ内に、収益性の高い事業と低い事業が混在し、全体として収益性が高まらない状況に至っています。

私が、多くの経営者と議論する中でよく聞かれる課題としては、「自グループに不採算や低収益の事業があると、その事業の立て直しに多くの経営資源を使わざるを得ないため、成長性の高い事業に投資が回らない」というものです。

コングロマリット経営の功罪

企業が事業を多角化し、複数の事業を持つコングロマリット経営には、本来は、幾つもの積極的な意義があります。

まずは、複数の事業を持つことによって、不確実な経済環境下においてリスク分散が行われ、企業全体としての持続可能性につなげられることが挙げられます。

また、経営資源を有効活用し、事業間のシナジー効果（相乗効果）を高めることで、総合的な価値の上昇が期待できることがあります。これをコングロマリット・プレミアムと言います。

しかしながら一方で、最近は海外投資家をはじめ資本市場からは、日本企業は「コングロマリット・ディスカウントである」という否定的な指摘が多くなされています。投資家から見た際に、日本企業グループの時価総額が高まらない理由として、成長力と収益力の双方が乏しいことが挙げられます。その背景として、グループ全ての事業の収益性が低いわけではないものの、高収益事業の生み出した利益が低収益事業と相殺されて、グループ全体の価値を低めているという見方が多くあります。つまり、シナジー効果を生まない事業を多数持つことで、経営資源が分散し、本来伸ばせる事業が伸ばせないどころか、全体の収益力が弱くなると見られているのです。

これからのコングロマリット経営に求められるのは、事業ポートフォリオの「選択と集中」です。言い換えれば、〝事業の自前主義〟からの脱却です。

そうすることでグループの〝将来の本業〟とすべき事業領域を定め、稼いだ利益やキャッシュを成長事業に集中的に振り向けなければなりません。そうして全体の成長性と収益性を共に高めることが期待されているのです。

求められる〝事業の脱自前〟

今までの日本企業では、多くの事業を抱えることで売上規模を拡大し、雇用を維持し続けてゆくことが経営の使命であると考えられてきました。従って、基本的には、コア事業もノンコア事業も自前で経営することが当たり前でした。そうした視点からは、事業を売却することは、全体の売上を下げるだけでなく、事業や雇用を維持できなかった〝失敗〟と後ろ向きに捉える意識が強かったのです。

最近でこそ株主の意向が強まり、事業を売却する選択肢が受け入れられつつあるものの、やはり事業を手放すことへの心理的抵抗が強いのが実態です。手がけた事業を自前でやり続けることを優先する考え方は、強いオーナーシップの表れと評価できる一方で、全体の収益性を低下させる要因にもなっています。旧来の〝事業の自前主義〟の固定観念が、企業を自縄自縛に陥らせているのです。

しかし今や時代は変わりました。経済がグローバル化し、株主をはじめとした資本市場の影響力が強まる中で、「売上ではなく企業価値を高めることが大事だ」という考え方が一般的になりつつあります。これからは、売上規模ではなく、「収益性」を高めて企業価値を上げることが、より求められます。現在抱えている事業の全てを自前で経営する〝事業の自前主義〟が、これから先に果たして企業価値を高めることに繋がるのかを問い直す時期に来ているのです。

これからの時代の企業経営、更には日本の産業競争力の強化に求められるのは、〝事業の脱自前〟です。〝本業を再定義〟し、今ある事業の〝強み〟を更に伸ばすには、担い手として誰が相応しいのか、いわば「ベストオーナー」を見極める必要があります。それが自社でないのなら、組み換えを積極的に行うのです。

事業と伸ばせる担い手との組み合わせをオープンに選び合うことで、限られた資源を最適な形で再配分し、収益性を高めてゆけるのです。

「プラスをもっと伸ばすのか」vs「マイナスを底上げするのか」

〝事業の自前主義〟を脱却して、将来に向けた事業の「選択と集中」を考えるうえで重要な論点があります。それは、「プラスをもっと伸ばすのか」、それとも「マイナスを底上げするのか」という選択です。

この論点は、日本の企業や産業レベルのみならず経済政策全般にも共通した、これからの日本の成長を促すうえで根幹となるテーマです。

今までの自前主義に基づく経営においては、全体の規模を維持しながら収益向上を目指すことを念頭に、後者の「マイナスを底上げする」ことに重きを置くのが一般的でした。企業でいえば、売上規模や雇用人数は一定程度保つことを前提に、利益がプラスの事業はそのまま維持し、利益がマイナスの不採算事業は立て直して底上げすることで、全体の収益向上を目指すという考え方です。

全体を一体のものとして自前で維持する考えが根底にあるので、事業の入れ替えは進まず、企業全体の収益性は低いままの状況が温存されがちでした。

私は、これからの日本を考えると、前者の「プラスを伸ばせるものはもっと伸ばす」という考え方に、判断の重心を移してゆく必要があると考えています。

その理由は、日本の置かれている状況にあります。日本全体の生産人口が減少し経済規模が縮小してゆくなかで〝成長〟を遂げてゆくには、限られた資源を分散させずいかに効率的に集中投下できるかが、カギを握ります。

限られた資源の配分先として、「伸ばせるものを伸ばすこと」に優先的に充てるほうが、「伸びないものを引き上げること」に資源を割くよりもより効率的で、全体を成長させることに貢献するのです。

〝事業の脱自前〟において「選択と集中」の意味するところは、「伸ばせるものをもっと伸ばす」ために、「伸びないもの」については、自前でやるのではなく、外のベストオーナーに積極的に任せることにあります。

規模に依存せず〝成長〟を果たすオムロン

売上や従業員数という〝規模〟に依存せずに、収益性を上げ、市場の評価を高めることに成功した例として、電子機器メーカーのオムロンの取り組みがあります。

オムロンは、２０１１年から２０２０年に至る10年間での取り組みで、企業価値を大きく向上させました。特に２０１５年以降の６年間では、売上と従業員数は減少している一方で、一人当たりの利益は伸びています。２０１５年時点で従業員数が約３万８０００人でしたが、２０２０年には約２万８０００人へと減少、また売上高も約20％減少しています。しかし、従業員一人当たり営業利益は２０１５年時点の１６５万円から、２０２０年には２２１万円となり３割以上増加しています。

加えて、資本市場からの評価についても、株価は２０１５年の約2倍（２０２１年11月時点）に成長しており、これはＴＯＰＩＸの伸びと比べるととても大きい数字です。

株価は、企業の将来の収益性への期待を表したものなので、企業規模は縮小しても、将来への期待は上がったことを意味します。

長期ビジョンに基づいた事業の入れ替え

オムロンが、資本市場から評価されている背景には、長期ビジョンに基づいた事業ポートフォリオ変革（PX）、いわば〝事業の脱自前〟があります。

オムロンは、1959年に会社の憲法「社憲」を制定して以降、そのDNAを継承しながら時代の変化に合わせて企業理念を更新しています。それはOur Values（私たちが大切にする価値観）と呼ばれ、「ソーシャルニーズの創造」、「絶えざるチャレンジ」、「人間性の尊重」といった社会的な価値観を中核に据えています。そのうえで2030年ビジョンを掲げて、自社の強みである〝自動化〟を軸に「センシング&コントロール」などのコア技術を活用して、解決できる社会課題領域を定めて取り組んでいます。

事業ポートフォリオ変革においても、長期的なビジョンを念頭に事業の入れ替えを行っています。とりわけ、2015年以降は事業を買収することと同時並行で、売却や譲渡を積極的に進め、大胆に事業構成を変える変革を行ってきました。事業評価の基準として「ROIC経営」を中心に据えた点も重要な意味を持っています。投下した資金に対するリターン（ROIC＝投下資本利益率）を最上位の物差しにして意思決定し、その基準に基づきステークホルダーとの対話を行ってきたのです。

このように、企業における成長は、単に売上や規模ではなく、収益性を高めることで資本市場から評価を得て〝企業価値〟をいかに高めるかにあるのです。

コロナ禍が加速させたポートフォリオ変革

オムロンの取り組みは、あくまで一企業の例ですが、そこには日本の成長を考えるヒントがあります。強みを有するコア領域をより強くする事業ポートフォリオ変革を行うことで、従業員数が減少しても一人当たりの付加価値と企業価値を高める戦略は、人口減少下において「産業と人財のベストな組み合わせ」によって付加価値を高める日本の成長シナリオの縮図といえるでしょう。

事業ポートフォリオ変革による〝事業の脱自前〟は、コロナ禍を経てより拍車がかかっています。

コロナ禍で、人の動きや価値観が大きく変わりました。影響が大きな産業では既存事業の需要が戻ってこないことを前提に、事業構造の改革を行うと同時に、新たな成長を牽引する事業を取り込んで、全体の事業構成のあり方を変えてゆこうとしています。

さらに、産業社会に大きな影響を与えるのが地球環境への対応です。地球温暖化対策として、カーボンニュートラルという概念は産業全体に抜本的な変革を迫りました。

ポスト・コロナにおいては、将来的な環境変化を見越した事業ポートフォリオ変革が益々経営の中心課題になってゆきます。全ての事業を自前で抱え込むのではなく、存在意義と将来像に基づいて、将来に向けて自らが持つべき事業（〝将来の自前〟）と、必ずしも自社で持たなくてもよい事業（外と連携する領域）を見極めて、適切な組み合わせを選択してゆくことが重要になります。

「失われた30年」を招いた〝時間軸の長さ〟

〝将来の自前〟を描くにあたって、未来の〝時間軸〟をどう取るかはとても大事なテーマです。

私は、日本の産業競争力や成長の鈍化を称した「失われた30年」を決定付けた大きな要因の一つが、〝時間軸の長さ〟にあると見ています。

バブル崩壊後の1990年代後半から2000年代初頭にかけて、日本企業の多くは、本業回帰と足元の収益力強化を最優先して構造改革に取り組みました。その結果としてスリムで強靱なオペレーション力を構築することができた一方で、中長期的な将来に向けた研究開発や新規事業への投資については劣後しました。これは企業レベルのみならず、産業全般や経済政策においても同様の傾向にありました。バブル崩壊、リーマン・ショックなどの急激な環境変化からの生き残りに主眼が置かれてきたわけです。

一方で、米国や欧州においては、時を同じくして、10年単位での将来に向けた投資や産業革命への備えが既に進められていました。それが2000年代のIT革命やデジタル変革、2010年代の第4次産業革命などの動きに繋がっているのです。企業レベルにおいても、GEやデュポンなどのグローバル企業が10年から20年先のメガトレンドを見据えて大胆な事業ポートフォリオ変革に本格的に取り組んだ時期もこの頃でした。

日本は企業や産業から国の経済政策に至るまで、官民ともに目先の短期的課題には成功すれども、イノベーション、ITやデジタル変革、将来の技術への投資など、成長を牽引する長期的な視点が弱かったことが、中長期にわたる競争力、持続的な成長に繋がらなかった根源的要因だったのです。これが「失われた30年」の背景です。

〝現状の足し算〟vs〝未来からの引き算〟

〝時間軸の長さ〟は、日本の持続的成長において、極めて重要なカギを握る生命線です。

現在、世界は脱炭素社会に向けて、２０３０年や２０５０年を見据えて取り組んでいます。企業経営や産業政策においても、10年単位で将来のビジョンを掲げて、成長に向けたシナリオを描く必要があります。10年先を見据えた〝長期〟、更に20～30年先を見据えた〝超長期〟の目線が求められるのです。

最近、私が経営者とお話をする際には、「短期と長期を繋ぐ時間軸」の重要性を申し上げます。変化が激しく不確実な時代だからこそ、10年先以降の長期的な未来と、短期（半年から1年）で起こっている足元の現実の、「両方を常に〝反復〟して見る」ことがより大事になります。

私はこれを例えて「Zoom In（ズームイン）Zoom Out（ズームアウト）」という言葉で表現しますが、カメラのズームで広い範囲を一望に収める一方で、狭い範囲を拡大するように両方を見ることを、日常の中で反復して行う手法です。

実際の経営のマネジメントサイクルにおいては、短期の事業計画と、10年以上先を見据えたメガトレンドに基づく長期ビジョンを描くことが必要です。さらに大事なのが、10年以上先の未来から現状をバックキャストして（振り返って）、未来と現状との〝ギャップを明確にする〟ことです。そのうえでギャップを埋める戦略シナリオを描くのです。いわば、未来から現状を逆算する〝引き算〟のアプローチです。

これは、今までの多くの日本企業に馴染みがある、過去の延長線上で将来を描き、現状から積み上げて計画を立てるといった〝現状の足し算〟のアプローチとは大きく異なるものです。

中計は〝中継〟にすべき

これから日本の企業や産業が、〝時間軸の長さ〟を競争力に繋げるには、〝未来からの引き算〟でギャップを埋める大胆な打ち手やシナリオを構想することを本格的に学んでゆく必要があります。

今までのように、中期経営計画（中計）のみに重きを置いた〝中計一本足打法〟には大きな弱点があります。それは、将来に対する組織全体の目線が3年から5年といった中期で留まってしまうことです。従来、多くの日本企業は、1年間の予算や事業計画とともに、3年から5年先を見通した中計を策定してきました。この〝中計〟は、資本市場をはじめ社内外のステークホルダーと目標や戦略を共有する大切な手段として定着しています。

しかしこれからは、中期経営計画の位置づけを再定義する必要があります。中計は中期の計画という意味合いから、長期と短期を繋ぐ〝中継地点〟としての位置づけに変えることが求められます。

10年以上先の長期ビジョンに向けて、現状とのギャップを埋めるための成長シナリオを描き、その〝中継〟地点として、3年や5年先の目標、マイルストーンを置くというあり方に変えてゆく必要があります。

これからの日本においては、企業のみならず経済社会全体が、〝時間軸の長さ〟を軸に長期的な将来の姿を構想し、〝将来の自前〟として自らの強みを発揮できる領域を見極めて、そこに向けて大胆に変革することが求められているのです。

〝将来の自前〟を見据えて事業を組み換えた日立

〝将来の自前〟に向けて、長期的な将来の姿を描く。そしてデジタルシフトを軸に事業を入れ替え、グループ再編による組織の〝脱自前〟を行っている日立製作所の取り組みを見てゆきます。

日立製作所は、日本を代表するグローバル製造企業ですが、事業範囲が広く、多くの子会社を抱えるなど、事業の「選択と集中」に課題を抱えていました。また、デジタル化の波に対応するための経営資源や能力を、十分に有している訳ではありませんでした。こうした状況を打破するため、コア分野に経営資源を集中投入すると同時に、コアビジネスとの親和性が低い事業を相次いで売却するなどの、事業ポートフォリオの再編を推し進めました。

〝将来の自前〟で行う事業について、日立製作所はデジタルという新しい領域に軸足を定めて、全体の事業構造の変革を試みています。具体的には、Lumadaという、先進的なデジタル技術を活用したソリューションやサービスを軸にして、ハード単体ではなく、ソリューションビジネスの推進を進めました。そこで、グローバル展開を推進するため日立ヴァンタラ社を発足させ、パートナー制度を活用して外部との積極的なエコシステム形成に注力しました。更に、米GlobalLogic社の買収を通じて、先進的なデジタルエンジニアリングの能力と大手テック企業などの顧客基盤を獲得し、デジタルを中核とした事業ポートフォリオを強化しています。

グループ再編による「選択と集中」

日立製作所は、外部からの積極的な買収（M&A）と同時に、外部に積極的に事業を切り出すなど、グループ子会社の再編を果敢に進めました。例えば、電力事業において、スイス重電大手ABBから送配電事業を買収した他、Lumadaやヘルスケア事業の強化のために上場子会社の日立ハイテクを完全子会社化しました。子会社の上場解消を念頭にグループ内部に取り込む事業、グループ外に出す事業、を明確にしてグループ再編を進めた結果、2005年に22社あった国内の上場子会社数が2020年3月には4社にまでなりました。更に残りの4社のうち、日立化成を2020年4月に売却し、日立金属も売却の見込みです。

このように、日立製作所は、デジタル関連事業や成長有望事業へ重点投資を図る一方、高成長が見込めない事業やコアビジネスとの親和性が低い事業の売却を検討するなど、将来を見据えた事業の組み換え、「選択と集中」を図っています。

その結果、2021年3月期は純利益が5016億円で過去最高益を達成しました。

この最高益の背景には子会社の売却益が寄与した他、ＩＴ事業がコロナ禍のＤＸ需要に早期に対応できたことがあります。つまり、事業ポートフォリオの組み換えという、〝事業の脱自前〟による成果が出始めているのです。

事業の売却と買収は「ワンセット」

事業ポートフォリオ変革の必要性を述べてきましたが、事業の「選択と集中」についても、いざ実践してゆくとなると大変なことです。

特に、現存している事業の入れ替えは難度が高い取り組みです。

多くの企業グループは、同じ企業ブランドやグループ内で一体的な雇用関係や人材政策で長年運営されてきた経緯があるので、他に売却されることを当事者が望むはずはありません。〝売却〟というと、要らないから切り出されるという、ネガティブに捉える見方が未だ多いのが現実です。

こうした組織の〝脱自前〟においては、戦略のみならず、情緒的な利害関係が複雑に絡むので、多くの企業は売却に消極的です。

しかし、本来は売却という選択肢は、単独で存在するものではありません。将来の自社のあり方を見据えた際に、将来〝自前〟とすべき領域と、自社以外の外部パートナーの力を借りて事業を強くさせる領域を、〝同時に〟考える必要があるからです。仮に事業の売却を考える際は、一方では強くする買収を考えることによって、個別の利害関係を超えた全体最適の視点からの意思決定が出来るようになるのです。つまり、事業ポートフォリオ変革では、「売却は買収とワンセット」で存在するものと捉えることが大事です。

売却を成功させる秘訣とは

売却を多く成功させている企業には一つの秘訣があります。それは「利益が出ている良い時に売る」というものです。事業が落ち込んで先行きがないので売却という選択を考えがちですが、それは関係する当事者にとってはマイナスなのです。

「良い時に売却する」という決断は、すべての関係者にプラスです。まず売却する企業側からすると高い評価で売れるので、多くのキャッシュを手にすることができます。

対象会社の従業員においては、売却後のリストラなどを心配する必要がなく、むしろ買収先に評価されて受け入れられるので処遇面での不安がなくなります。買収する企業にとっても、買収後の収益面でのリスクが少なくシナジーを考えてゆけるのはプラスになりえます。すなわち、売却側、従業員、買収側の〝三方よし〟が見込めるのです。

こうした、「良い時に売る」という選択は、中長期的な視野に立った将来像、長期ビジョンが明確でないと不可能です。

企業は目先の業績を考えると、利益を稼ぎ出している事業を手放すことには消極的になります。より良い将来の姿が見えているからこそ、そこに先手を打つ経営ができるのです。〝時間軸の長さ〟に基づいて、ビジネスを俯瞰した将来志向の経営こそが、持続的な成長につながる〝事業の脱自前〟を可能にするのです。

〝キョウソウ〟が持つ2つの意味～〝競争〟と〝共創〟

事業の〝脱自前〟において、売却のみならず、外部の力を借りて事業を強くさせる領域では、パートナーを幅広く見つけることが必要です。ここで重要なのは、将来志向でパートナー選びを行うことです。

外と組むという選択は、単に今行っている仕事を存続させることだけを目的にすると、相手にとって発展的な関係になりません。直面している顧客や世の中の将来にわたるニーズや課題にどう応えるか、という未来を見据えた中で考えることが必要です。

しかし、いざ組むべきプレイヤーを探す過程で生じうる一つの疑問は、外部のパートナーが事業拡大した結果として、自らの事業と競合関係になるかもしれない、というリスクへの懸念です。

そこにおいては、〝キョウソウ〟が持つ2つの意味を同時に理解する必要があります。一つは言うまでもなくライバルとして競い合う〝競争〟の関係、そしてもう一つが、お互いにメリットになるものについて力を合わせる〝共創〟の関係です。これからの時代は、お互いが争うところと協力するところが共存する時代になってゆきます。

この先の日本のような成熟市場においては、それぞれが他と差別化し、いかに付加価値を高めてゆけるかが生き残りのカギになります。そこにおいては、仮に同一業界内であっても、お互いに重複している個所はまとめる、新たに付加価値を生み出すために協力できる大型の投資や開発は一緒に行うなど、全面競争ではない、新たな〝キョウソウ〟が益々必要になってゆきます。

第2章で前述した「現場エコシステム」を形成してゆくうえで、〝エコシステム（生態系）〟を構成するパートナーとの間で〝キョウソウ〟関係をいかに構築してゆけるかは、組織の〝脱自前〟を進めてゆくうえで重要なものになるのです。

M&Aの「成立と成功」

新たなパートナー同士が手を組む、〝事業の脱自前〟を実行するには、M&A（合併・買収）という手法の活用、いわば〝組織の脱自前〟の巧拙がより問われるようになってゆきます。

最近M&Aは、経営戦略の手段として重要性が増していますが、一方で他の組織と一緒になることは抵抗や警戒感が強く、難度が高いことも事実です。

実際に、M&Aを経験した企業の実態調査によると、自社が行った過去の案件を成功と評価する割合、いわば成功確率は3割程度というデータもあります。「時間を買う」という意味もあるM&Aですが、過剰な期待をしてもうまくいかないし、将来を一気に手に入れられる薔薇色の選択ではないことにも留意が必要です。

それでは、成功と失敗の分かれ目はどこにあるのでしょうか。M&Aを成功に導くうえでキーワードは2つあります。それは、「成立と成功」と「主語の転換」です。

まず「成立と成功」ですが、これは、M&Aは、新たなパートナーと一緒になる手続き（成立）よりも、一緒になってから上手くやる（成功）ことのほうが難しく大事だという考え方です。つまりM&Aは、一緒になった後（統合後）を見据えたアプローチがより重要だということです。

「成立」と「成功」のそれぞれを定義するならば、「成立」とは、「M&Aの法的な契約締結が完了し、新会社として登記設立がなされること」です。つまり、両者が一つの組織になる「合併」の場合は新しい統合会社ができること、資本が統合されても会社組織は存続する「買収」の場合は、資本関係が変更されるため、新たなグループ会社（子会社）という位置づけでスタートすることを意味します。

一方で「成功」の定義とは、「本来の戦略上の目的が達成でき、加えて多様なステークホルダーの評価が得られること」です。つまりM&Aを通して本来実現したかった目的が達成されたのか、それがステークホルダー（顧客、株主、従業員、社会）からの評価に繋がったのか、この2つの条件を満たして成功と呼べるということです。これらは必然的に、M&Aの「成立」という手続きより、それ以降の新会社としてのプロセスが重要になることを意味します。このM&Aの成立後のプロセスをポストM&A、一般にはPMI（ポスト・マージャー・インテグレーション）と呼びます。このPMIについては、両者が一緒になったその日から、3年から5年の中期的、さらには10年以上の長期的な視点を持つことが大切です。いわば、M&Aとは、成立という一過性のイベントではなく、自らの目的達成とステークホルダーの評価を得られる「成功」に向けた中長期にわたっての持続的な取り組みなのです。

成功の秘訣は「主語の転換」

それでは、M&Aの「成功」に向けてカギを握る「PMI」においては、何が大事なのでしょうか。異なる会社同士が一体になることは、主導権争いや企業風土の違いなど、言うは易く行うは難し、の問題が山積しています。

そこで、大事なことは、M&A成立後、新会社に「主語の転換」をはかることです。企業にとって、M&Aが成立する前は、お互いが買う側（買い手）、買われる側（売り手）という立場の違いがありますが、成立後は、買う側、買われる側という立場を超えて、〝新会社〟に立場を置き換えられるかが問われています。「主語の転換」は、両方の組織が一つになる合併以外にも、組織が分かれたままで同じグループになる「買収」においても同様に当てはまります。一緒になるグループとしての立場に「主語」を転換し、新会社にとってベストな発想で取り組めるかが成功の秘訣です。

「主語の転換」で風土融合を果たした協和キリン

M&A後のPMIで最も難しいと言われるのが風土の融合です。2社が合併して新会社になってから「主語の転換」を果たして、風土融合に取り組んだ例に協和キリンの事例があります。

協和キリンは2008年に、協和発酵工業と、キリンファーマの医薬品メーカー2社が合併して誕生した会社です。当時、医薬品業界で技術基盤が大きく変わろうとしていました。協和発酵工業は自社のコアコンピタンス（企業の中核となる強み）を見つめなおし、10年先を考えたときに、〝自前〟での成長は厳しいと考えていました。一方で、飲料大手のキリンホールディングスは飲料や酒類に続く第三の柱となる事業を育てたいと考えていました。そこで、キリンホールディングスと協和発酵グループによる戦略的な提携の中で2社が合併し、協和発酵キリン（現在の協和キリン）が誕生しました。その後10年以上にわたって協和キリンは堅実に成長を続けて、今やキリングループの中で貴重な収益の柱になっています。

一般的に合併では、歴史や企業風土の異なる2社が一つの組織になってゆくうえで、どうしても前の会社の企業風土を引きずり、意思決定やチームワーク、社員の振る舞い方等に違いが生じてしまい、本当の意味で融合することは難しいのです。

しかしながら、協和キリンの合併においては、合併に際して「主語の転換」を起点に風土融合を図った点が特徴的です。

具体的には、2008年の統合時に、1000人以上の社員が話し合える場を全国で作り、お互いが大切にする価値観をまとめる形で「私たちの志」という文章を作り上げました。これは協和キリンとしての価値観を共有するうえで大事な要素になっています。具体的には、「たった一度の、いのちと歩く。」、「人間の情熱を、人間のために使うしあわせ。私たちは、ひとりひとりが協和キリンです。」といった言葉で表現されていて、製薬会社で働くヒトとしての思いや、社員の価値観や行動の拠り所になっているのです。

風土融合においては、多くの社員が自分の〝志〟を見つめなおして、それを新しい組織作りに向けて語り合うプロセスは大きな意味を持っています。それによって、社員同士は団結を強め、自然と会話の中で「私たちは……」「協和キリンでは……」と共通の〝軸〟を持った言葉を話すようになり、〝主語〟を新会社へと転換することに繋がりました。

「私たちの志」は、継続的な浸透が図られ、10年以上経った今でも協和キリンの信条として存在し続けています。

風土融合の本質は「同軸化」

M&Aの難しさは組織の風土融合にありますが、そのためには新会社を「主語」にした行動や価値観の共有こそキーポイントです。

ここで大事なことは、風土は「統合」ではなく「融合」であることです。仮に会社同士が統合したとしても、価値観はすべてどちらかに一本化することを意図しているわけではありません。一方の風土を押し付けてモノカルチャー化を強要することでは上手くいかないものです。

すなわち、風土融合を進めるうえでのポイントは、両社の風土の同一化ではなく、「同軸化」にあります。「同軸化」とは、新会社の視点から、企業の根本として軸となる部分を共有し、それ以外は違いが共存することを許容する考え方です。

具体的には、経営理念、社訓や信条、行動原則、ビジョンなど根幹になる要素を一本化し、そのうえで微細な点については、どちらかに同一化するというよりも、むしろ違いを受け入れ、交わりあう中で、新会社にとって理想的なものに作り変えてゆくのです。先ほど見た協和キリンの「私たちの志」は、まさに同軸化の軸になる要素です。

それに加えて留意すべきは「人材交流」です。

過去にM&Aを経験した企業に対して調査した結果によると、風土融合に有効だった施策で最も多く挙げられたのは、「経営理念の共有」と「相互の人材交流を企図した人材配置」という施策でした。

例えば、人材交流を図る取り組み例として、ある合併した会社では、同じ会社になる際に、組織上の立場や階層は大きく変えずに、部門名と物理的な就業場所だけをすべて同じビルの同じフロアに配置する人部屋制をとりました。当初から無理に組織上の立場を決定するのではなく、一定期間お互い顔が見える中で個々人の特性が分かるようにする。それらを見極めてから組織上の立場を決定する方が、より旧来の組織に囚われずに済むという考え方にたって比較的スムーズに融合が果たされたのです。

他にも人員配置に関して各種の工夫を凝らした例があります。ある会社では「出身会社にとらわれない実力主義」を掲げ、人事異動の発令にも出身会社名は記載せず、社員の人事データから出身会社に関する情報を削除することまで運用を徹底して行うなど、従業員個人を意識させる環境づくりにこだわることで融合の加速化に繋げました。

このように、風土融合においては、「同軸化」と「人材交流」という2点は常に要諦として考える必要があるのです。

第3章では、日本の成長を牽引する「産業創出」において、既存の事業や組織の産業競争力を高めるカギとなる、事業ポートフォリオ変革（事業の選択と集中）による〝事業の脱自前〟、さらにM&A（合併・買収）、売却等の〝組織の脱自前〟を見てきました。

第4章では、成長に向けたもう一つの柱である「人材育成」に影響を与える、雇用と教育の〝脱自前〟についで述べてゆきます。

第４章 〝雇用の脱自前〟で人財力が高まる

〝雇用の脱自前〟が求められる時代

これからの日本において、いかに人財力を高めてゆくかという、「人材育成」は経済社会の成長の鍵を握ります。本章では、人財力に直接大きな影響を与える「雇用」のあり方について、現状の課題と〝脱自前〟による解決の方向性について述べてゆきます。

残念ながら、現状の日本は、本来誇るべき日本の人財力が活かされているとは言えません。先に見た生産性の目安である一人当たりＧＤＰは、ＯＥＣＤ38カ国において下位の20位台、世界デジタル競争力の人材の項目では64カ国中40位台と下位に沈んでいて、世界的に見て人財力が高いとは言い難い状況です。

このような状況が続いているのは、何が原因なのでしょうか。

私はこれらの背景に、日本の労働市場の課題があると捉えています。日本社会を長年支えてきた、終身雇用制を筆頭にした雇用慣行が大きく影響しているのです。

従前から日本においては、基本的に同じ企業に長く勤めて、他社に転職しないことが主でした。いわば、一企業が従業員の生涯雇用に責任を持つ〝雇用の自前主義〟が土台であり、それが過去の経済成長を支える要因でした。これは、経済が右肩上がりの時代には、企業内の各事業と全体の成長が同じ方向を向いていたのでうまく機能した考え方でした。

しかしグローバル競争が激化し、企業において前述の〝事業の脱自前〟が求められる時代には、労働力についても事業との適切なマッチングが求められます。今後は、成長産業に多くの人財がシフトする労働移動がより必要になるのですから、一つの企業に長期間留まることを前提にした〝雇用の自前主義〟は、むしろ移動の制約になります。これからは、成長の方向性に叶う形で、〝雇用の脱自前〟を進めることがより重要になるのです。

雇用と賃金のどちらを優先するか

〝雇用の脱自前〟を論じるうえで、考えるべき重要なテーマがあります。それは「賃金と雇用の関係」です。

近年、政府においても賃金引き上げは政策課題として常に挙げられています。賃金の引き上げが個人消費を喚起し経済活性化につながる、との認識があるからです。しかし政府のかけ声で賃金を引き上げることは限界があります。なぜなら、日本社会の労働市場における、賃金と雇用をめぐる構造的な特性が足かせになっているからです。

日本の企業は、長きにわたり、「賃金よりも雇用を優先する」考え方に立ってきました。そのため、多くの日本企業は、人件費の総枠が一定だとした場合に、正規社員を中心に出来る限り雇用を守ることを優先し、代わりに賃金を抑える選択を取ってきました。つまり雇用維持を前提に〝賃金が調整弁〟として機能してきたのです。

他方で米国企業などは、〝雇用が調整弁〟になっています。人員削減などにより労働力が流動化し失業率が高まる代わりに、市場価値に応じて賃金は維持される傾向にあります。つまり、失業率の高まりや格差の拡大がもたらす社会の不安定さというマイナスがある一方で、市場原理が働くことにより、優秀な人材の賃金が保たれ労働移動も起こり、成長への原動力は保たれるメリットがあります。

日本においては、失業率が低く抑えられ、社会的安定性を保ってきた点は最大の長所でした。他方で、雇用を優先し、賃金や人材投資を抑制してきた結果として、デフレの脱却に時間を要し、さらに成長に向けてドライブがかからない深いジレンマに陥っているのです。

働き手に必要な賃金の分配は一律ではない

これからの雇用と賃金のあり方を考えるうえで、労働市場の状況にも留意する必要があります。

最近の労働市場は、人材不足が深刻になる中で、売り手市場の傾向を強めています。同時に、求人状況や賃金水準は、業種、職種や技能によってかなり差が出始めていることも特徴です。つまり、賃金の問題は、もはや一律で論じることが出来ない時代になってきているのです。

加えて、働く側の意識やニーズも一様ではなくなってきています。例えば、デジタル化やグローバル化に対応できる人材は採用ニーズが極めて高く、人材獲得競争になって賃金上昇圧力は高まっています。

それに伴って多くの企業では、良い人材を獲得・確保するために、企業内の人事制度を改めて、賃金の配分方法を見直す議論が盛んに起こっています。グローバル競争が進んでゆくにつれて、日本の終身雇用を前提とした、一律で差がつきにくい人事給与制度の下では、優れた人材が集まりにくくなってゆきます。今後は、貢献度が高い人材には、年代を問わず高い給与やポジションを提供しないと、人材が流出してしまい、競争力を維持できません。つまり、生産性が高く競争力ある人財に高い賃金を払うことは、企業にとって成長に直結する重要な課題なのです。

目指すべきは「成長」と賃金上昇の好循環

日本の労働市場や雇用慣行の特徴を踏まえて、これからの雇用と賃金のあり方をどうすべきかを考えてゆきます。

今後、日本の企業や産業は、収益力を高めて分配原資を増やさない限り、賃金上昇を続けることはできません。現状の構造のままで強制的に賃金を上げたとしても、収益性が悪化し、将来への投資も抑制され、成長も出来ず、先々の賃金上昇も見込めない、という負のスパイラルに陥ってしまいます。

目指すべきは、日本企業や産業全体が「成長」することで収益力を高め、その分配によって賃金が上がる、本来の好循環を作ってゆくことです。持続的に成長することによって、賃金の上昇も一時的ではなく安定的に確保される状況を作ることが大事です。

これからは、賃金のあり方を、成長に繋がる分配に変えてゆく必要があります。そのためには、今までの「一律かつ固定的な」分配ではなく、成長機会や競争環境に合わせて、より「柔軟に」運用してゆく知恵が求められます。必要な人財には市場価値に見合った水準で分配できる方法を積極的に取り入れることで、人材流出やモチベーション低下を防ぎ、成長に向けた競争力を高めるサイクルを作ることが求められます。

低成長が続く日本において、〝雇用と賃金のリバランス〟をどう考えるか、この先の成長に向けて重要なテーマです。

企業の〝自前〟による終身雇用制の限界

雇用と賃金のリバランスを考えるうえで、多くの日本企業における終身雇用制度の考え方の見直しも求められます。

既に述べてきたように、企業が〝自前〟で終身雇用を維持するには限界を迎えていきます。最近でこそ、中途採用や転職が広がり、兼業や副業なども実施されつつありますが、大半の企業では、正社員を中心に一つの企業内で生涯キャリアを形成する〝雇用の自前主義〟を前提に雇用関係や社内制度が作られている状況にあります。

その背景には、日本の雇用政策において、産業界や企業が担ってきた役割があります。実は、日本の企業は、新たな事業を起こすイノベーションに取り組みつつ、雇用によって〝社会保障〟の役割を果たしてきたのです。

これは世界的に見ても独自なものです。北欧諸国は、国民の高負担を背景に「国」が公的に雇用の需給調整に主体的な役割を果たし、米国は「市場」に需給の調整弁の役割を委ねています。それに対して日本は、「企業」が、雇用優先の考え方の基に、需給の調整弁の役割を果たし、社会保障の役割も担ってきたのです。終身雇用制は、そうした意味合いをもって機能してきた重要な仕組みなのです。

しかし、デジタル化やグローバル競争が進む時代においては、これまでのように社会保障的な役割に重きを置きすぎると、企業の競争力を制約する原因にもなることに留意が必要です。

これからは、企業が負うべき社会保障の役割を再定義する時代です。特に雇用については、企業が単独かつ〝自前〟で維持する時代から、官民が連携して雇用を守るという

「社会としての終身雇用」へと転換することが求められています。

雇用は流動化でなく〝柔軟化〟

この先の時代は、一企業が抱えていた雇用の〝自前主義〟を改めて、雇用や賃金のあり方を柔軟に変えてゆく、〝雇用の脱自前〟が必要になります。そのためには、自社で生涯にわたってキャリアを抱え込む〝自前〟ではなく、副業・兼業を可能にする〝脱自前〟の雇用制度へ変革が必要です。

〝雇用の脱自前〟の方向性を、私は「雇用の柔軟化」と呼んでいます。

ここで、敢えて流動化という言葉を使わず〝柔軟化〟という言葉を使うのには理由があります。日本においては、長年定着している雇用慣習がある中で、米国型のように雇用を〝流動化〟させ、市場で需給調整することは決して馴染まないと考えるからです。

それよりも、長年にわたり築き上げた日本の労働慣習をベースに、キャリアや処遇の〝選択肢〟を増やし、人事的な運用を「柔軟化」できる方向で考えることが妥当です。

雇用による社会的な安定性を保ちながら、必要な賃金上昇や労働移動をしやすくし、「働き手にとっての選択肢を増やす」アプローチが、〝雇用の柔軟化〟です。

そのためには、将来のキャリアパスを多様化し、兼業や副業によって所属する企業の境界線を広げてゆくことで、終身雇用のハードルをもっと下げていくことから始めてゆく必要があります。例えば、企業の中でキャリアを重ねてゆく過程で、兼業や副業などを通して複数の所属組織を経験する、或いは、リモートワークの進展と共に都市から地方に行って働く場所を柔軟にする、などを推奨していくのです。今後は、更にそれを発展させ、大企業に勤めながら週の半分は地方企業で働く、といった多様な働き方へと広げていくことが求められます。同じ会社で勤め上げることだけではない、多様な選択肢を持つことが、「雇用の柔軟化」の意図するところです。

「雇用の柔軟化」の主な内容は、（1）メンバーシップ型雇用とジョブ型雇用を組み合わせた〝ハイブリッド型〟の雇用形態、（2）年功序列でマネジメントキャリア（中間管理職、役員等）中心のキャリアパスから専門職キャリア等に幅を広げる〝複線化〟、更に、（3）兼業や副業、出向など外部との接点を増やす〝オープン化〟という3つの施策に基づいて、働き手の選択肢を多様に提供できる環境を作ることにあります。

以降でそれぞれの具体的な内容を述べてゆきます。

ジョブ型雇用は万能なのか

最近はジョブ型雇用が話題になっています。ジョブ型雇用とは、職務の内容や時間を明確に定めて雇用する方法です。一定以上の期間、組織に勤めることを前提に、特に職務内容を限定せずに雇用するメンバーシップ型雇用とは対照的なものです。

ジョブ型雇用は、役割や職務内容（ジョブ）が明確に定義されることによって、仕事が可視化されることが特徴です。それによって、その仕事にあった人材配置や育成が社内外を含めてやりやすくなる、更には、仕事の成果と報酬が結び付けやすくなる等のメリットが期待できます。

一方で、今までの多くの日本企業に根付いているメンバーシップ型雇用は、職務内容が限定されず、フレキシブルな運用ができることが特徴です。それによって、組織内での異動などにより多様な経験を積みやすくなるところがメリットです。

これらの仕組みは、いずれかが万能というわけでなく、双方の長短をどう組み合わせてゆくのかが重要です。私は、これからの日本企業の雇用政策においては、ジョブ型とメンバーシップ型のハイブリッドが望ましいと考えています。ジョブ型雇用には、仕事を明確にすることで、リモートワークなど多様な働き方の実現や、社内外を含めて仕事に関われる人の幅を広げることと、また、業務内容や成果を予め明確にできるので生産性を高めることも期待されます。一方で、あまりに職務内容を厳密に定義しすぎると、状況に応じた柔軟な対応やチームワークの欠如に繋がるリスクも否定できません。このあたりの長短を踏まえてどう対応するかが問われてきます。

これからの時代、先が見えず「正解」を持ちえない不確実な状況下では、企業や個人にとっても、状況に応じたミッションを自ら設定し、柔軟に業務遂行をやってゆける力をつけることが、全体のパフォーマンスに大きく影響します。

今後、日本の各企業や組織においては、チームワークや柔軟な運用を可能にするメンバーシップ型の良さは残しながら、業務内容が明確に規定できるところはジョブ型のメリットを最大限に活かし、ミッションに応じて柔軟に対応できるハイブリッドな最適解を追求することが求められます。

複線型&オープン型の人事制度

「雇用の柔軟化」においては、（1）ジョブ型とメンバーシップ型のハイブリッドの雇用形態に加えて、「（2）複線型、かつ（3）オープン型」に人事制度を改めることも大事な方向性です。具体的には、マネジメント志向のみではない「キャリアパスの複線化」と、外部との移動を可能にする「オープン化」を組み合わせる視点です。

これまでの日本企業の人事制度は、基本的に一つの企業内での終身雇用を前提に、キャリアパスは、管理職を経て最終的には役員層になることをゴールとしてマネジメントトラックを中心に設計されてきました。そのため、せっかく自分で力量を高めても、組織内にポジションがなければスキルが無駄になってしまうし、先々に役員になれないとモチベーションも下がってしまいます。これは本当にもったいない話です。

これからのキャリアパスについては、従来のマネジメント系以外にも、専門性を評価して上位で処遇できるキャリアパスを併せ持つ「複線型」にしていくべきです。

さらには、社内のみでポジションを志向するのではなく、社外に機会を探す兼業や副業、出向や転籍など、外でオープンに活躍する機会を、人事制度としても積極的に支援し広げてゆくことが必要です。こうして、キャリアの出口を多様化し、外部ともオープンに繋がってゆくことが求められます。

よく話題になっている副業については、経産省の調査によると副業を行っていない正社員の内、約４割が副業を行いたい意向があり、前向きな人が多い一方で、企業側に目を向けると、副業に送り出す側は、「全面的に副業禁止」という企業が45％、また、人材を受け入れる側の企業は、「副業人材の受け入れ意向なし」が52％もあり、労務管理や業務効率の低下、秘密保持等が高いハードルとなっています。

これからの日本においては、これらの課題を解決することで、兼業・副業、出向や従業員シェアなどの雇用のオープン化や、定年制見直しを含めたキャリアパスの複線化などを進め、多様な選択肢からキャリアを選べる柔軟な人事制度に変えてゆくことが、極めて重要です。

副業人材マッチングによる中小企業の人材確保

「複線化」と「オープン化」という働き方の具体的な取り組みとして、地方企業での副業や兼業を実現するマッチングの事例について紹介します。

地方では都市部と比較して、デジタル人材が少なく、中小企業は自社単独での採用活動が難航し、デジタル変革が進まないという課題を抱えています。このような課題を解決するため、中小企業は人材を自社で正社員として採用するのではなく、副業人材のマッチングサービスを利用することで必要な人材を確保する動きがあります。

スタートアップ企業のＪＯＩＮＳは、地方企業の副業・兼業に特化した人材マッチングサービスを提供しています。対象業務はオンライン・リモート中心であるため、副業・兼業人材は場所に関係なく従事することが出来ます。

例えば、都市部の大企業で働いている人にとっては、今の会社に勤めながら、専門性を活かして地方企業の業務に従事することが可能になります。一方で、地方中小企業にとっては、人材マッチングサービスを利用することで、業務委託契約を通じて副業・兼業人材に自社のビジネスで働いてもらうことが可能になります。

実際に、２０２０年の1年間で登録の数が過去に比べて5倍以上増加しており、登録企業は約６５０社、登録人材は約６５００人、成約は約３３０件を数えるに至っています。

このように、地方の中小企業にとっては人材確保、都市部の大企業に勤める人にとってはキャリアの「複線化」、更に社外の副業や兼業に携わることによる働き方の「オープン化」が可能になるのです。

これから多くの日本企業にとって、〝雇用の脱自前〟に向けた「雇用の柔軟化」の流れは益々広がってゆくことが期待されます。

「社会としての終身雇用」

企業の「雇用の柔軟化」と共に、これからの日本社会で重要になるのが「社会としての終身雇用」です。

従来は、企業が終身雇用の役割を担ってきましたが、これからは、企業が「雇用の柔軟化」をする一方で、官民が連携し「社会としての終身雇用」を保証できる仕組みづくりが求められてゆきます。

具体的に、「社会としての終身雇用」においては、リカレント教育（学び直し）、職業訓練、再就職支援機能を強化し、企業や産業を跨いで成長分野に人が移動できるように、官民で人材の需給を調整するプラットフォームを強化する必要があります。

ところが、現状では、「社会としての終身雇用」の備えやセーフティーネットは、残念ながら十分ではありません。人材育成に関する日本のマクロ政策としての取り組みについては大きな課題があるのです。

厚生労働省の分析によると、GDPに占める「能力開発費」は、1～2％の米国・英国・フランス・ドイツ・イタリアと比べると、日本はわずか0・1%と低い水準にあり、かつ低下傾向が続いています。この能力開発費とは、企業内外の研修費用（Off-JT）に該当するものですが、民間レベルにおいても人的資本への投資は十分ではありません。さらに、民間のみならず、官による投資も十分に行われておりません。OECDの調査では、日本の教育や雇用に対する「公的支出」は先進国の中でも低い水準です。

これらは、一般に積極的労働市場政策（ALMP: Active Labor Market Policies）と呼ばれますが、これからの日本においては、官と民が相互に連携して、国を挙げてより強化すべき最重要の政策領域です。

今後は、従前の学校や企業内教育に加えて、新たな仕事で求められるスキルを習得するリスキリング、社会人のリカレント教育など、「社会としての終身雇用」を可能にするセーフティーネットとしての人材育成の重要性が高まっています。リカレント教育やリスキリングにおいては、民間の個別の企業や学術機関だけでは限界があり、産官学の連携が必須です。「社会としての終身雇用」を実現するには、産官学が、自前の守備範囲を超えて幅広く連携してゆく〝脱自前〟が不可欠なのです。

官民連携で採用・育成を支える「まちの人事部」

「社会としての終身雇用」のきっかけになる官民連携の取り組みが出始めています。ここでは、人手不足が深刻な地方で、官民が連携して人材のミスマッチ解消に取り組んだ岩手県八幡平市の「まちの人事部」の事例を紹介します。

多くの地方では、就職をきっかけに若年層が流出し、人口減少が大きな課題です。これは地方の中小企業にとって深刻で、人材獲得がままならず事業の存続が見込みにくい状況を抱えています。

そこで、行政が民間と連携して人事機能を集約するシェアリング事業を始めました。中小企業が採用などの人事機能を自前で持たなくても人材獲得できるという〝脱自前〟の取り組みです。

八幡平市では、地域の産業全体を一つの大きな事業体に見立て、希望するすべての事業者の人材採用、育成、定着といった人事にまつわる機能を支援する「まちの人事部」事業を開始しました。公募によって選ばれた民間のスタートアップ企業と組んで「①企業人材確保支援」「②副業人材マッチング支援」の2つを軸に据えた事業を実施して成果をあげています。これは、中小企業が個々で人材採用することが困難な中で、自治体、地域外のスタートアップ企業、地元企業による三位一体のつながりを最適化することで解決に繋げる〝脱自前〟の取り組みです。

プロフェッショナル人材不足を官民連携で補強

必要な専門知識を有したプロフェッショナル人材を、官民連携によって融通する取り組みも進んでいます。

地方の中堅企業は、成長に向けて新規事業に進出したいものの、自前では特定の技術を持つ人材が不足しているなどの課題を抱えています。そこで、近年、内閣府が進める「プロフェッショナル人材事業」を通じて、外部からプロ人材を採用することができるようになっています。

例えば、福井県にあるセーレン（繊維・産業機器・電子部品）は、自社の強みを生かして、県が取り組む「福井県民衛星プロジェクト」に参画することを決めたものの、熱設計の技術を持つ人材が不足するという課題を抱えていました。そのため、行政の提供する「プロフェッショナル人材拠点」を通して、熱設計技術・量産設計経験を持つプロ人材を外部から採用すべく検討し、大手電機メーカーで経験を持つ人材の採用に成功しました。入社後は最先端の開発ノウハウを生かし、宇宙開発事業の中心として活躍するなど、官民を挙げての連携がベストマッチングに至る例が出始めています。

このように「社会としての終身雇用」を実現するには、産官学の連携のみならず、都市と地方を含めた地域の連携によって、社会全体として雇用の可能性を広げるあり方がより求められるのです。

第5章　教育にこそ〝脱自前〟が求められる

教育ニーズの高まりと自前主義の限界

これまで、「人財力を高める」ための〝雇用の脱自前〟について、「雇用の柔軟化」と「社会としての終身雇用」の方向性を述べてきました。次に〝教育の脱自前〟のあり方を見てゆきます。

今や日本のあらゆる教育現場において、〝脱自前〟が求められています。これからの人材育成は、学校教育から社会人のリスキリング、リカレント教育に至るまで、生涯にわたって重要性はより増してゆきます。

しかし、そうした状況下にありながら、教育を提供する側は、学びたいニーズの高まりに応えられる余力がなくなっている現実があります。具体的には、時代の変化のスピードが速まり、デジタル化への対応をはじめ学ぶべきものが多様化する中で、コンテンツの難度や、質の高い学習環境を提供するための負荷が大きくなっているのです。

例えば、初等・中等教育の現場では、難度の高まりや需要の増大に伴う教員の負荷が非常に大きいことが課題として指摘されています。教員は教材開発、授業、テストの採点、クラスの担任、部活の顧問、行事の準備、保護者対応等、業務が多岐にわたっており、長時間労働が問題視されています。加えて近年は、プログラミングやアクティブラーニング等、新たな教材開発や授業方法の検討が必要となっており、ますます教員の負担が増加しています。教員向けの調査でも「授業準備の時間が十分にとれない」という課題が浮き彫りになっています。

こうした傾向は、学校教育のみならず、企業内教育においても同様で、全てを自前で対応するには限界が来ています。学校や企業を含めた教育に携わるあらゆる場において、産学連携など新たなパートナーとの協働による〝教育の脱自前〟が求められています。

求められる〝教育の脱自前〟

一方で、教育を受ける側の状況はどうでしょうか。これからは、学ぶ側にとっても〝脱自前〟が必要です。

ここで、日本の社会人教育に関する現状を象徴するデータを紹介します。パーソル総合研究所の「APAC就業実態・成長意識調査（2019年）」によると、日本では就労者の中で「社外学習・自己啓発（ボランティア、副業・兼業含む）を何も行っていない人」の割合は約半数を占めていて、APAC14カ国・地域の中でも群を抜いて多く、ワースト1位という結果となっています。つまり、就業者の半数以上の人は、会社以外では学んでいないという実態を示しています。

この背景には、先述の〝雇用の自前主義〟に基づく、終身雇用を前提にした日本型雇用慣行があります。日本は終身雇用が続いてきたため、OJT（オン・ザ・ジョブ・トレーニング）を通して社内で通用するスキルを身に着けておけば十分で、社会人になっても社外で学び続ける動機付けがあまりありませんでした。しかし、デジタル化による産業構造の転換が迫られる中では、これまでのスキルが通用しなくなり、陳腐化していくリスクが高まっています。今までのように「自分が所属する組織内だけで学べばよい」という学ぶ側の自前主義も、時代と共に改めてゆくことが求められています。

これからは、教育の必要性が生涯にわたって高まる中で、学びを提供する側も学ぶ側も、既存の枠組みの中だけで教育を自前で行う考えを改める必要があります。

とりわけ、本業として教育を提供してきた側にとっては待ったなしです。今まで当たり前にこなしていた業務を分解して、負荷が掛かる業務は〝外と組む〟ことで省力化する、更に外の知見を入れることで教材などのコンテンツを充実させて、本来力を発揮すべき「教える」ことに集中するといった〝本業の再定義〟が益々重要になっています。

この先の人材育成には、外と連携しながら、本来の強みを活かして効果的な学びの環境を作ってゆく〝教育の脱自前〟がより求められてゆくのです。

教育ベンチャーと企業による教材開発

〝教育の脱自前〟は、子供の学校教育から社会人教育まで幅広く求められます。ここでは、学校教育の現場において、学校と民間企業、ベンチャー企業がタッグを組むことで、生徒と教員双方にとって良い教育機会を提供している〝脱自前〟の事例を紹介します。

今まで教員が担っていた「教材開発」を企業に任せることで、教員が授業に専念できた取り組みがあります。具体的には、教員は、映像教材と指導案を無料でオンラインから入手し、それを基に授業を行うというものです。なぜ無料で教材を入手できるかというと、実は、教育ベンチャーのＡＲＲＯＷＳと、それぞれのテーマの専門家である企業が教材を共同開発しているからです。もともとARROWSは、全国の先生がつながることのできるSNS「SENSEIノート」を運営し、先生同士で自由に質問や情報提供できるような場を提供していました。先生が抱える悩みや多忙さがSNS上で浮き彫りになり、教材開発のニーズも全国共通であることが明らかになったことをきっかけに、大手企業ともタッグを組み、企業がスポンサーとなって共同で教材開発を行う事業を開始しました。

これは、教育ベンチャーにとっては、事業として成り立つメリットがあることに加えて、参加する企業にとっても、教材を通して全国の生徒に自社やサービスの専門性をアピールする機会となるというメリットがあります。つまり、質の高い教材開発の負荷を減らせる教員のメリットと併せると、先生、企業、教育ベンチャーの三者にとって「三方よし」の関係だと言えます。更に重要なのは、それぞれのテーマの専門家である企業がつくっているからこそ、教材には各テーマの基礎情報だけでなく最先端の動向も盛り込まれており、生徒にとっても満足度の高い授業が提供できることです。

このように学校が全て自前で行うのではなく、「外部の民間のプレイヤーと組む」ことで、生徒にとって質の高い教育の提供と、教員の負荷軽減を同時に実現することができるのです。

AI活用によるパーソナライズ教育

〝教育の脱自前〟において、〝デジタルを活用する〟方法も広がりを見せています。教育分野において、デジタルテクノロジーを駆使した新たなサービスを提供するエドテック（Educational Technology）のプレイヤーが参入し、新たな形が生まれつつあります。

ここでは学習塾において、デジタル技術を活用した〝脱自前〟の事例を紹介します。

学習塾では個別指導やチューターによるサポートに力を入れているところもありますが、多くの学習塾は成績によってクラスを分けて集団に対して授業を行います。しかし、生徒によって理解度やミスの傾向が一人一人異なるため、全ての生徒にとって最適なカリキュラムとはなっていないことが課題でした。また、講師は各生徒に割くことのできる時間が限られており、満足のいく指導ができないという課題も抱えていました。

そこで、ある学習塾では、教育ベンチャーが開発したAI学習システム「ａｔａｍａ＋」を導入し、個々の生徒にパーソナライズされた教育を行っています。この「ａｔａｍａ＋」では、累計数百万時間・億問以上の膨大な学習データを基にして、AIが生徒の理解度、生徒自身も気づいていない弱点やミスの傾向を把握し、「自分専用のカリキュラム」を作成します。また、理解度もデータで見える化されるため、効率的に、かつ自分のペースで勉強することができ、成績アップにつながります。

また、学習塾の講師向けには、ＡＩが生徒の集中度や学習の進捗状況をリアルタイムで解析し、効果的な指導法を提案してくれます。そのため、講師は生徒の気持ちに寄り添って、学習の目標を立てたり励ましたりする等、生徒に本当に必要なサポートに専念することができるようになりました。

この取り組みは、〝デジタルを活用する〟脱自前の実践例ですが、「ＡＩが得意なこと、人間にしかできないこと」を見極めて、教育現場に活かす工夫はこれから益々求められてゆきます。

中学生による起業ゼミ

これからは、起業家の育成も〝教育の脱自前〟における重要テーマです。民間企業と学校のタイアップによる中学生の起業の取り組みは、今後の起業家教育の可能性に示唆を与えています。

東京都にあるドルトン東京学園中等部では、ＩＴ企業から講師やメンターを招き、生徒一人一人が事業アイデアを検討し、それを需要や収益性の観点から検証するなど、主体的に学べる「起業ゼミ」を行っています。

起業ゼミは、有望な事業アイデアに対して５万円の事業検証費の支給や、事業として実現可能と認められれば最高２００万円が投資されるなど、本格的な活動となっています。実際に、飲食店向けのリアルタイムクーポンの事業アイデアに対して２００万円の投資が決まり、その後、事業化に向けてアプリの開発や、アプリに登録する飲食店への周知活動につながった例があります。

今後はこうした取り組みの教育効果に一層目を向ける必要があります。中学生という早い時期から職業理解の目を養うことは、この先の人材育成において大きな影響をもたらします。

早くから会社を興す体験に触れることで、将来は会社に「入る」だけでなく「作る」という選択肢を持つことは、職業理解の幅を広げ、学習への動機も高まります。何より起業という心理的ハードルが下がり、チャレンジする意識が養われることが重要です。

起業に触れた原体験を通じて、課題解決に向けて自ら行動する力、周りの人と協働し解決する力、困難を乗り越えようとするレジリエンス力等が身に付くことは、その先の成長において財産になるでしょう。

企業人から〝起業人〟へ

起業できる人材をより多く育てることは、日本の成長を牽引するための中心的課題です。

最近では、若い世代の起業意識は高まりつつあります。社会貢献への感度が高い若い世代が、課題解決に向けて起業を選択する流れが広がることはとても望ましいことです。

しかしながら、世界的にみると、日本はまだまだ「起業の〝意識を持つ人の数〟が極めて少ない」ことが大きな課題です。２０１９年のグローバル起業家精神調査（Global Entrepreneurship Monitor）によると、「起業意欲を持つ人の数」において、日本は対象47カ国のうちで〝最下位〟という深刻なデータが出ています。

その理由の一つは教育にあります。日本では小・中・高校で起業を学ぶ機会がほとんどないからです。

一方で世界に目を向けてみると、欧州では、起業家教育が、小学校から高校に至るまで一貫して正式な教育プログラムとして体系的に織り込まれています。具体的には、起業に必要な能力を定義したうえで、小・中学校レベルにおいても、創造性、プランニング、ファイナンス、チームワークなどの要素が必修科目に盛り込まれて実践されています。

更に、最近では、政府を挙げて実践的な学びの機会の提供も広がっています。例えば、英国では２０１３年から政府支援の下、小中高生を対象とした全国的な起業ビジネスコンテスト〝10X Challenge〟が開催され、４週間の期間で10ポンド（約１５００円）を元手に、製品・サービスの企画・販売を行うといったプログラムがあり、２０２０年は１万５千人を超える参加者を集めて盛り上がりを見せています。このように、若い時期から起業を学ぶ機会があると、起業を身近に感じて意欲が高まり、職業の選択肢として考える人々のすそ野が圧倒的に広がります。

既に世界では〝スタートアップ競争〟となっており、フランス、韓国、インドなども、起業を経済成長のエンジンに位置づけた国家ビジョンを掲げて政策を推進しています。

今や、少子高齢化が進む成熟社会の日本においては、成長の重要な柱として、産官学が一体で起業家育成に取り組むことが求められます。

これからの日本において、企業人のみならず、〝起業人〟という選択肢を持つことが、若い人財力を引き出し成長の原動力になってゆくのです。

〝世代の脱自前〟が引き出す人材育成の芽

若い起業家を育成することには、世代間の役割分担を変える意味もあります。それは大人たちが〝学ぶ側に回る〟という効果です。

若い世代の強みは、なんといっても既成概念に囚われずに「願望」から発想できることです。一般的に、経験を重ねた多くの大人たちは、手段（道具）や実現性に囚われて、道具によって何が実現できるかということから発想しがちです。一方で、若い世代は経験がない分だけ、純粋に「どうありたいか、何をしたいか」から発想することを当たり前に出来る特長があります。こうしたゼロベースの発想は、大人たちにもイノベーションのきっかけになる気づきを与えてくれます。

異なる世代のコラボレーションは、大人が「教える側」という世代としての自前の固定観念を転換し、ニーズに合わせて若手が「教える側」に回るという役割の転換による〝世代の脱自前〟の可能性を感じさせます。

〝教育の脱自前〟とは、「産と学」「世代」「教える側、教えられる側」という立場を超えることで、お互いが強みを活かして学びあえる環境作りのことです。旧来の〝自前〟の固定観念を超える〝教育の脱自前〟は、日本が本来有している人財力の可能性を引き出す重要な意味を持つのです。

第6章　「成長」を再定義する

成長とは何か

ここまでは、日本の「成長」を牽引する「産業創出」と「人材育成」の両輪について、「産業創出」は、イノベーション力、産業競争力を高める観点から、「人材育成」は、雇用と教育の観点から、〝脱自前〟による進むべき方向を述べてきました。

本章では、〝脱自前〟によって目指す「成長」の姿とは何か、という根本的なテーマを考えてみたいと思います。人口減少下の日本において「成長」をどう定義するかは、社会全体にとって重要なテーマです。

私は、極めてシンプルに表現すると、「成長とは〝価値〟を高めること」と定義します。つまり、持続的な成長とは「未来に向けて価値を高め続けてゆくこと」と言い換えることが出来ます。

ここでの〝価値〟には、様々な意味があります。経済的な価値、地球環境や人権などをはじめとする社会的な価値、人間の内面をも包含した幸福や心の豊かさという価値など、一つの断片だけではない「多様な〝価値〟を高めてゆくこと」、それが「成長」です。

求められる「成長の再定義」

日本が目指すべき「成長」には、多様な切り口から再定義が求められています。
まず経済的な側面での「成長」について、一般的なイメージは、企業においては売上を伸ばすこと、国で言えば国内総生産（ＧＤＰ）を伸ばすことが、真っ先に思い浮かびます。実際に経済成長率については、ＧＤＰをはじめとした経済規模の増加を意味しています。こうした一定期間における経済規模の伸びを成長と捉える考え方は、「価値」を測る一つの大事な要素です。
しかし、この先の時代は、その経済規模の増加の観点のみで、成長という「価値」を語ることは十分ではありません。売上やＧＤＰが、成長を示す価値のすべてではないのです。これからは、「価値」を高めるという視点のもとで、より多面的な物差しで「成長」を捉えてゆくことが不可欠です。

具体的には、一定期間内の成果（フロー）と過去からの蓄積（ストック）、経済的な価値と社会的な価値、短期と中長期といった時間軸、量的なものと質的なもの、客観的なものと主観的なものなど多面的な視点で「価値」を考えてゆく必要があります。

企業にとって価値を高めるとは

まずは、「価値を高める」とは何かを、ミクロ的な企業の視点から考えてみます。

企業における成長とは「企業価値を高めること」という認識は共有されつつあります。企業価値を高めるには、売上を伸ばすこと以上に、「利益やキャッシュフローを継続的に上げられるか」が問われます。換言すれば、幾ら売上を上げても利益を生み出さない赤字であれば、企業価値としては評価されません。加えて、一定期間のフローである損益計算書（P／L）で利益を高めるだけでなく、過去からの資産や資本のストックである貸借対照表（B／S）を合わせて考慮する必要があります。フローとストックを併せて勘案して、資金（キャッシュフロー）の増大が見込めなければ、将来にわたって価値は高まってゆきません。すなわち、企業の〝価値〟を高めるのは、単純に売上を伸ばすことだけではないのです。

その表れに、最近は大手企業が発表する対外的な目標設定について、売上目標から利益目標に変えるケースが多く出始めています。さらには、株主をはじめ資本市場から成長を評価してもらうために、ROE（自己資本利益率）やROICなどの資本効率を重視する経営にシフトしています。

このように企業にとって「価値」を測る物差しは、売上や利益の推移のように一定期間の成果を測るP／Lの〝フロー〟のみならず、過去からの蓄積であるB／Sの〝ストック〟も併せて見ることがポイントになります。

経済的価値と社会的価値

さらに、これから企業の持続的な成長を評価するには、価値を測る「時間軸の長さ」がより重要になります。具体的には、短期的な成果だけでなく、中長期にわたって持続的に価値を高めてゆけるかどうかが、より評価されるようになるのです。そこにおいて問われるのが、「経済的価値と社会的価値の両立」です。

企業にとっては、短期的に収益性を高め経済価値を高めると同時に、中長期的には社会課題の解決に向けて投資をして将来的な収益に結び付ける。そういった「短期と中長期を繋ぐ時間軸」をより意識した経営が求められるのです。

企業価値を高めるために、収益性や資本効率などの経済価値に加えて、社会の課題解決に直接つながるような社会的価値をいかに高めるかがより求められます。

あらゆる企業において、2030年までの国連目標である持続可能な開発目標（SDGs）との結びつきや、ESG（環境、社会、ガバナンス）ということが盛んに言われます。気候変動をはじめとして環境破壊が深刻化し、経済活動の前提が脅かされる状況にあって、企業にとって地球環境や社会全般の持続可能性に貢献することは絶対条件です。加えて、最近では、人財の付加価値を評価する人的資本の価値など、無形資産の価値への関心が高まっています。社会的価値への貢献を主体的に行うことを通して、企業自らの持続可能性を高めてゆく経営の考え方を、「サステナビリティー経営」と呼びますが、これからの時代、企業の持続的成長は、中長期の時間軸において経済的価値と社会的価値をいかに両立するかにかかっているのです。

ESGは従来のCSRと何が違うのか

こうした話をすると、「サステナビリティー経営」は、今までのCSR（企業の社会的責任）とは何が違うのか、という質問を受けます。元々社会に貢献する価値観を強く持って経営してきたので特に変わらないのではないか、という疑問です。

いずれも企業が社会的貢献を果たしてゆく方向性は、過去も現在も同じです。

その違いをシンプルに説明するならば、CSRは、利益を稼ぐ事業活動とは別に、企業全般として社会貢献に取り組むものでした。事業活動で得られた収益を基に寄付をしたりメセナ活動をしたりということで、事業そのものとは必ずしも結びついていませんでした。

しかしながら、最近のESGをはじめとした「サステナビリティー経営」は、〝事業活動そのものを通して社会的価値を高める〟ことが求められます。いわば社会課題を解決することで〝稼ぐ〟こと、〝本業〟そのものに社会課題解決が求められているのです。

つまり、〝社会的価値を高める活動を通して経済的価値を高める〟ために「本業を再定義」することが本質です。

日本においては、三方よしに代表されるように、社会的価値に対して配慮する価値観は暗黙裡に根付いています。これからは、暗示的な価値観を顕在化し、より明示的な形で、投資家を含めた幅広い利害関係者に説明し、評価を得られるようにしてゆくことが必要となるのです。

このように、企業における成長、いわば〝価値を高める〟には、フローとストックの両面、さらに、中長期の時間軸において経済的価値と社会的価値を両立する、という2つの視点が求められるのです。

GDP一辺倒の限界

「成長」の定義について、ミクロ的な対象の「企業」を例にとって、価値の高め方の視点を見てきました。ここからは、企業の見方を応用しながら、よりマクロ的に経済社会全体の「成長」とは何かを考えてゆきます。

経済社会の成長である〝価値の高まり〟をどう捉えるかは、多角的な視点で議論する必要があります。そこにおいて、前述の「企業」に対する価値の見方、フローやストック、経済的価値や社会的価値の両立の視点などは応用することができます。

従来、経済成長の主要指標としては世界的にもGDPを基本としてきました。GDPは、「国内で生産された財やサービスの付加価値を示す指標」で、企業にとっては売上と同様にフローを捉える指標です。最近では、海外所得を含めたGNI（国民総所得）や、カーボンニュートラルの時代に環境対策を加味した新たなGDPの測り方として、「グリーンGDP」を導入する検討も進んでおり、フロー指標であるGDP自体も様々な改良が加えられてゆきます。

さらにこれからは、先ほどの企業価値の評価と同様に、GDPという一定期間での経済的成果を示すフロー指標だけでなく、過去からの資本の蓄積をみるストックを評価する観点も必要です。

成熟社会である日本においては、マクロ的な「成長」の見方においても、毎年のGDPの伸びといったフローの物差し一辺倒にならずに、過去からの社会的価値を含む資本の蓄積というストックの視点を併せて、「統合的な〝価値〟の高まり」として、「成長」を捉えることが重要です。

そこで、私が注目している指標の一つに、国連環境計画・国連大学によって実践的な研究が進められている「新国富（Inclusive Wealth）」があります。新国富指標は、主に人の豊かさをとらえる人的資本、経済的（物的）な豊かさをとらえる人工資本、持続的に利用や管理が必要となる資源や自然などをとらえる自然資本の3つの資本の合計、いわば〝社会的価値〟をも視野に入れて〝ストック〟で計算される指標です。

人と自然の価値を含んだ「新国富」

この「新国富」については、2030年までの国連目標であるSDGsと深く関係しています。SDGsの重要なキーワードとして「包括的な成長（Inclusive Growth）」という言葉があります。今まではどのように計測して進めるかが課題でしたが、最近の科学的な計測手法の発展とともに実証的なデータの蓄積がなされ始めています。今後は、新国富の各要素（人工資本、自然資本、人的資本）を高めることで、包括的な成長が達成されるとの道筋を描くことが可能になってゆくと期待されています。

ここで興味深いのは、新国富の各要素のうち「人的資本」の価値を高める、という視点です。これは、人財力を高めることが「成長」に必要不可欠な日本にとって、極めて重要な見方です。

人的資本は、教育面と健康面とで分けて測られています。例えば教育面では、より高い教育を受けることが生涯賃金を上げることに繋がる点、またそれを支える健康寿命の長さが人的資本ストックに対する貢献と捉えています。今後の日本において、重要性が高まる教育、医療、健康などの分野で政策の目標や成果を測れるようになれば、人財価値を高めるための有効なマクロ指標になりえます。

Well-being が注目される時代

更にこれからの時代は、成長が「人間の幸福に結びつくのか」を考えて質的かつ主観的な豊かさに、より目を向けることが大切になってきます。

経済の成熟化に伴い、市場で取引される財・サービスでは満たされない、人々が感じる〝豊かさの程度〟を表す非経済分野の諸指標をめぐる議論が盛んになっています。その代表的な概念が、Well-being（ウェル・ビーイング）です。

「Well-being」とは、１９４８年発効のＷＨＯ憲章に掲げられて世界に広まった概念で、身体的のみならず、精神的、そして社会的に、「満たされた状態、より良き状態」を意味します。単に一過性ではなく、社会的な関係性に基づいて持続的により幸福な状態を作ることを目指しています。さらに、個人と社会との関係性に加えて地球環境との関係もより重要視されてゆきます。

例えば、社会や環境との関係の側面では、自然災害などの復興に関連して Well-being

を適用することが挙げられます。被災地で居住する方々の満足度、将来への安心感、災害対応への事前の備え（耐震住居や施設などの対応度、人の連携ネットワークの十分さ）など、生活する人々の状況が、当時より現在、そして未来に向けて〝より良き状態〟になったのかどうかを常に測って対策に活かしたり、デジタル技術を駆使し各種データを可視化して、「質的に幸福な状態」を作る政策に活かすことも求められます。

質的豊かさを含めた「価値」の好循環

持続可能な社会の目標として、SDGsは2030年を期限に国連が掲げたものですが、Well-beingは、特に時限性がなく普遍的に追い求める価値観で、より包括的かつ持続的に追い求める目標になりえます。更に最近では、人々の「主観的な幸福度」に目を向ける考え方として注目されています。実際に、民間企業においてもWell-beingをビジョンに掲げる企業も多く出始めており、国際機関やNPOや民間企業においても、Well-beingを計測出来る指標の開発なども今後は益々進んでゆきます。Well-beingに見られるように、これからの時代は、量的な豊かさ以上に、「質」をいかに高めてゆけるか、の視点がとても大事になります。

今まで述べてきたように、「成長」とは、多面的な観点から「価値を高める」ことです。そこにおいては、GDPの伸びのようなフローのみならず、過去から蓄積されてきたストックを加味する視点、将来の持続可能性に向けた社会的な価値（人的資本や自然資本など非財務的な価値）、さらには、人々の主観的な幸福度（Well-being）をはじめ心の豊かさを高める質的な価値など、多面的な要素を満たすことが求められます。

これからは、人々のWell-beingを高めることが人的資本の価値を高めると同時に、環境意識を高めることが自然資本をプラスにする、といった観点によってストックを積み重ねることが必要です。そうした将来に向けた社会的価値を高めながら、経済的価値を高めてゆくメカニズムを作る工夫が求められます。

「多面的な観点から持続的に価値を高める好循環」こそが、この先の日本が目指すべき〝成長〟のあり方なのです。

「断絶なき成長」が世界共通の課題

日本から広く世界に目を向けると、環境破壊（気候変動等）、経済格差の固定化、地政学的リスク、国家間の分断など、負の〝断絶〟を生む可能性をはらんでいます。負のリスクを乗り越えていかに持続的成長に転換できるか、は世界共通の課題です。

経済の伸長により所得を増やしながらも、格差が固定化されたり社会不安に繋がることなく安定が維持できる「断絶なき成長」こそ、これからの世界に求められているのです。

日本は、少子高齢化が進む課題先進国ではありますが、見方を変えれば、持続可能性（サステナビリティー）については「潜在的な強み」を活かせる可能性があります。

例えば、格差という点では、日本では、社会保障制度が行き渡り、他国に比して社会的断絶の不安が相対的に少ないことや、平均寿命の長さ、長寿企業の数の多さ等に代表される「時間の長さ」に立脚した体験・知見など、経済社会システム全体への一過性ではない〝持続可能性〟の素地は、一定程度備わっています。

こうした潜在的な強みに基づきながら、旧来の固定観念やしがらみを超える〝脱自前〟の発想を持つことで「断絶なき成長」を果たすことが求められます。

地方の断絶を超える〝脱地元〟

日本で「断絶なき成長」が強く求められるテーマの一つに地方創生があります。

地方に住むことには、自然環境が豊かで、地域ならではの人間的なつながりや、伝統的な文化などが多く魅力があります。その一方で、業種や職種によっては就業機会が乏しく所得が低くなりがちといった経済格差をもたらすリスクが課題視されています。従来は、都市部への人口流入が進む一方で、地方が過疎化するというトレード・オフが深刻な課題として解決しきれずにいました。

しかし今後は、こうした旧来のトレード・オフだった課題について、〝脱自前〟の発想により「トレード・オン」に転換してゆくことが求められます。

そのきっかけになるのが、コロナ禍がもたらした価値観の変化です。具体的には、「時間と場所」の制約からの解放です。新常態（ニューノーマル）の世界では、「時間」と「場所」の使い方がこれまでと変わってゆきます。

コロナ禍を経て、人々の意識、とりわけワークライフバランスの考え方は確実に変わりました。家族や地域コミュニティのつながりへの意識は高まり、プライベートな時間を重視する方向に比重がシフトすることで「時間」に対する価値観は変わってゆきます。更に、リモートワークやワーケーションといった働き方の改革が進むと、地方に居ながら従来と同様に仕事ができるようになり、「場所」に関しても自由度が増してゆきます。

このように世の中の価値観が変化してゆくと、地域が持つ本来の良さを活かしながら、地方で働く機会や人口を増やすことで困難な課題を克服するという「トレード・オン」の解決策を見出す余地が広がります。

これからは、場所や時間が固定化された旧来の〝地元〟の観念から脱却し、多様なものを外から受け入れる〝脱地元〟の発想が重要になります。自然や人との繋がりなどの地方の優れた資源や資産を大切にしながら、地元に拘らず、外から新しい人財や資金や情報を積極的に取り込む〝脱自前〟による地域変革（RX：Regional Transformation）に、断絶を乗り越える成長の可能性があるのです。

成熟社会の日本においては、持続可能性への「潜在的な強み」を、既存の固定観念を超える〝脱自前〟の発想を持つことによって顕在化し、「断絶なき成長」に向けた成長戦略の実現がより求められてゆくのです。

第７章　〝経営〟の視点で日本の成長戦略を考える

「国家経営」の視点で描く成長戦略

これからの日本の成長戦略においては、「限られた資源の価値をいかに高めるか」という〝経営〟の視点がより大事になります。

経営とは、常に「有限の資源を活かして付加価値を高めること」が命題です。まさに人口減少下にある日本において、リソースを有効に活用して価値を高める「国家経営」が求められるのです。

国家経営の視点から日本の成長戦略を考える時には、企業経営の見方を応用することが有効です。

企業における成長戦略は、自社の強みを見極め、将来にわたって伸びる事業分野を明確にし、経営資源の「選択と集中」を行うことが定石です。成長分野に人材などの経営資源を積極的に投入すると同時に、非成長分野や重複する非効率な分野は合理化を行うことで経営資源を捻出し、さらに成長分野に振り向けることを行います。つまり、限られた資源の中では、非効率な領域を合理化して資源を「捻出」し、伸びる事業に多くの資源を「投下」することが、全体を成長させる王道です。

では、企業経営における成長戦略の視点から、日本の成長戦略について見てゆきましょう。

日本の成長戦略は何が問題なのか

以前から日本は、政府が率先して何度も成長戦略を打ち出してきました。しかし、官民を挙げた各種の取り組みが、期待された成果を挙げたかというと大きく課題が残ります。成長戦略は数回にわたってバージョンアップがされていますが、経済規模の伸びは米国や中国との差が広がるばかりで、経済成長を遂げているとは言えない状況です。

私は、経営に携わる立場から、従来の日本の成長戦略を〝国家経営〟的な視点で評価すると、課題は大きく2つあると見ています。

一つ目は、時間軸・ゴールが明確でないことです。「何をいつまでにどの程度達成するか」というゴールが不明確な施策が多いのです。現状の成長戦略の大半は、将来に向けた方向性・方針ではあるものの、必ずしも戦略ではありません。戦略は、ゴールにたどり着くための〝道のり〟です。達成したい目標やゴールから逆算して、現状との「ギャップを埋める有効な方策や手順といった道筋」を考えることが求められるのです。

そのためには、目指すべき将来のビジョンを掲げ、〝将来からの引き算〟で現状とのギャップを明らかにし、ギャップを埋めるためのシナリオ作りこそが重要です。どの時間軸で何を達成すべきかを明らかにしてゆく必要があります。

二つ目の課題は、限られた資源の中での「選択と集中」を明確にしきれないことです。

日本は、少子高齢化に伴い、成長に振り向ける予算規模が限られているにも拘わらず、現状維持のために、一律・一斉に資源を配分しがちな傾向があります。日本の産業構造は、すそ野が広く企業数も多いため、「選択と集中」が難しい面はありますが、一方で、〝現状維持〟だけでは「成長」は見込めません。これからは、限られた資源による投資対効果を高めるために、「成長分野を伸ばし、既存分野は効率化する」というメリハリを明確にすることが求められます。限られた経営資源の中で、将来の成長に向けて「どの分野に、どの程度の資源を、いつまでに投下すべきか」という議論こそ踏み込んで行う必要があります。

「短期かつ部分最適」をいかに脱するか

さらに、これから先の成長戦略に強く求められるのは、「時間軸の長さ」です。とりわけ、世界が一気に舵を切った脱炭素社会に向けては、2030年や2050年といった「10年単位」での長期的な時間軸でシナリオを描く必要があります。

最近の具体例と共に、その必要性と課題を見てゆきましょう。

成長戦略の柱として期待される取り組みの一つに「グリーンイノベーション基金」があります。これはカーボンニュートラルの実現にコミットする野心的な企業等を10年にわたり継続支援する基金で、令和2年度の補正予算に計上されました。

日本において、10年単位の長期的視点での支援が予算に組み入れられたことは、大きな価値があります。

しかしその一方で、海外と比べると、将来の競争力への投資規模について十分でないことは明らかな課題です。例えば同様の目的の基金について、欧州は10年間で130兆円、米国は5年間で約61兆円（うち約8・8兆円が脱炭素化施策。NEDOレポート2

021年10月）の投資を表明している半面、日本では10年間で2兆円規模に留まっています。

更にこれが脱炭素化関連の予算として執行される過程では、年度ごとに細分化され、省庁ごとに分散化されるので、実際に現場で予算が活用される際には大したインパクトに繋がらない懸念があります。

この例で分かるように、日本の成長戦略は、具体的に実行しようとすると、「内向きなタコツボ社会」が色濃く影響し、「短期目線、かつ部分最適」に陥りがちなのです。

これらの課題を克服するためには、政府が産業界を巻き込んで〝長期的な成長シナリオ〟を提示し、そこに必要な投資規模の検討と、官民の役割分担の議論を加速する必要があります。さらに、成長戦略の実行においては、省庁間の壁を越えて財源を無駄なく全体最適に執行できる、組織横断的なガバナンス強化を行うことも併せて重要になります。

現状の日本で、長い時間軸に基づき、国際競争力を持ちうる大胆な成長戦略を実行するには、「長期目線、かつ全体最適」に向けて、〝量と質〟の両面で課題を解決する必要があるのです。

成長戦略の実行を妨げるもの

長期目線で全体最適なあり方を目指すには、中心軸となる成長シナリオが必要です。人口減少と少子高齢化の社会構造の中では、海外からの人材受け入れや、働く人のすそ野を広げて生産人口を増やす努力は必要ですが、より根本的には、一人当たりの付加価値生産性を高めて、伸びる産業と組み合わせて全体の付加価値に繋げてゆくシナリオこそ描く必要があります。

そこでは、成長を牽引しうる「産業創出」と、人財の付加価値を高める「人材育成」の両輪を、連携しながら同時に進める戦略が基本になります。

産業と人財のミスマッチを解消し、成長性や収益性が低い産業を効率化することで人財を捻出し、再教育を通して人財の付加価値を高め、成長分野にシフトする労働移動が不可欠です。成長産業の創出と付加価値を高める人材育成の両輪の好循環こそが、成長戦略の王道です。

しかし現実には、既存産業の効率化や労働移動などのシフトはさほど行われておりません。既存の事業や産業を自ら合理化することや、従事する組織から離れて移動することには、多くのリスクと障害があるからです。いわば、既存の産業や企業の枠組みに囚われている〝内向きなタコツボ〟状態から離れることへの抵抗が大きいのです。過去からの枠組みや既存の組織こそが自らの領分と捉える〝自前主義〟から抜け出せないままでは、リスクをとって新たな産業を興し人材が移動することは、自然発生的には起こりえません。

つまり、「内向きなタコツボ社会」は、成長戦略の実行を妨げる構造的な要因でもあるのです。

こうした成長戦略の実行局面で想定される制約条件をしっかりと見据えて、予め手を打つ術を持たない限りは、この先の成長戦略は絵に描いた餅になってしまいます。これからは、成長シナリオを描くだけではなく、その実行局面においての制約条件を取り除く視点や施策を併せて持つことが極めて重要です。

本書では、成長を妨げる要因である「自前主義に裏打ちされた内向きなタコツボ社会」を脱するための〝脱自前〟のあり方を、成長シナリオの２つの軸である「産業創出」と「人材育成」の両面から示してきました。これからの成長戦略の実効性を高めるには、〝脱自前〟を実践できる環境を整えることが強く求められるのです。

日本の産業がグローバル競争に生き残る3つの〝勝ち筋〟

日本の成長を牽引する2つの柱である「産業創出」と「人材育成」について、成長戦略において重点を置くべき内容を、それぞれ述べてゆきます。

まずは、「産業創出」についてです。これから日本が伸ばしてゆく産業分野を描くうえでは、日本の企業や産業が、グローバル競争において、強みを活かして成長につなげる〝勝ち筋〟を見極めることが必要です。ここでは企業を例にとってみてゆきます。

私は、〝勝ち筋〟の視点としては、3つのキーワードで方向性を示しています。それは、「①真のグローバル化」「②最強のカタリスト」「③新たなる内需」の3つの方向性です。

一つ目の「①真のグローバル化」は、グローバル市場をどのように成長機会に繋げてゆくかという方向性です。

不確実性や地政学リスクが高まるこの先の時代は、グローバル市場全体を見渡した中で、最も重要で中核を担う機能は日本国内に持つという発想が必要になります。

具体的には、「マザーファクトリー（世界最強の工場）」や「マザーマーケット（世界で最も厳しい消費者）」という視点で、産業競争力の源になる経営リソースは日本へ集中するという方針を意識する必要があります。

ここで、真のグローバル化に積極的に対応している日本企業を例にとって見てみましょう。半導体製造装置大手の東京エレクトロンは、設計・開発・生産に至るまで一連の工程を国内工場に集約・集中化することで「マザーファクトリー」と「マザーR&Dハブ（世界最強の研究開発拠点）」の一体化を実現しています。ハード・ソフト・プロセス・アフターサービスの4要素を掛け合わせ、デジタル技術と人材による「匠の技」を有機的につなぐことが競争力の源泉になっています。日本国内にある主要工場の地元コミュニティとの長年の信頼関係、ロイヤリティーが高い人材が技術をきちんと継承する仕組みも備えていることが、グローバル競争を勝ち抜ける高付加価値を作り出しているのです。

真のグローバル化

これから目指すべき真のグローバル化とは、「〝集中化と分散化〟を高次元で両立させる」グローバルオペレーションを確立することです。

世界経済のリスクを分散化する意味を踏まえて、遠心力と求心力のバランスの取り方がますます重要になります。

グローバル本社機能や主要機能の国内回帰と、現地化・地産地消など世界各地への進出を両立させる必要があります。

日本企業によるグローバルオペレーションの手本になりうる企業の一つに、建設機械大手のコマツがあります。

同社は基幹部品とそれ以外を分けて、グローバルに集中化と分散化を共存させています。具体的には、基幹部品の開発・生産を日本国内へ集約しつつも、基幹部品以外の組み立て生産については需要に近いところで地産地消を徹底的に進めて、販売戦略においては、長期的な視野で現地国やマーケットとの信頼関係を構築しています。

加えて、世界で常に起こりうる為替や需要の変動に対応できるように、グローバルにどの生産拠点からどの市場へも製品供給できる世界最適生産調達体制を築き上げています。さらには、グローバルな生産・販売・在庫管理の全データは日本で一元的に集約・解析しマネジメントしています。まさに日本を司令塔に、高度な次元で集中化と分散化を両立させてグローバル経営をしている好例と言えるでしょう。

このように、グローバル市場全体を見渡し、日本に置くべき機能や資源を見極めて、「集中と分散の最適なあり方」を作ることが、これからのグローバル競争に求められる勝ち筋なのです。

〝カタリスト（触媒）〟という勝ち筋

二つ目の「②最強のカタリスト」ですが、一般に「カタリスト」とは、変化を促す触媒を指します。日本は、産業特性を踏まえると、デジタル化を演出する〝必要不可欠な触媒〟（黒子的な存在）として、独自の立ち位置を築いていくことが可能です。

具体的には、「現場」の技術や知見を活かして、メガプラットフォーマーのビジネスを支える中核的部品や素材を提供する「中核サプライヤー」となる、いわば黒子として存在感を示すという〝勝ち筋〟です。

日本には、電子部品や素材産業をはじめとして、特定セグメントで世界のシェアの上位を占める産業がすそ野広く存在します。こうした産業を筆頭に、中核的部品・素材のサプライヤーとして、ＧＡＦＡのようなグローバルなメガプラットフォーマーの成長を後押しする〝触媒〟の役割を果たして、無くてはならない存在になることが有効な勝ち筋です。共存共栄の関係を築くポジションを確立することで、メガプラットフォーマーの成長と共に付加価値を高める戦略です。

例えば、村田製作所製の樹脂多層基板は、アップルの看板商品iPhoneの高機能化・薄型化を支えてきました。必要とされているのはハードとソフトが一体化して高度にカスタマイズされた部品・素材です。スマートフォンの進化に欠かせない「積層セラミックコンデンサ（ＭＬＣＣ）」でも競争優位性を維持し、世界トップクラスの地位を築いています。

世界に通用する独自技術を有する日本企業は、中核サプライヤーとして必要不可欠な存在になることで、最強のカタリスト（触媒）としての圧倒的な競争優位を築くことが可能なのです。

「新たなる内需」の2つの方向性

3つ目の「③新たなる内需」について、日本国内の内需を再評価する視点が重要です。

これからの時代の不確実性は海外が発端になることも増えるでしょう。それに伴って、日本経済を支える「内需」の重要性は再び見直されることになります。

「新たなる内需」については、この先は二つの方向で可能性を広げることが有効です。

一つは、課題先進国といわれる日本の「現場」が抱える社会課題を、デジタル技術を駆使した新たなやり方で解決することで需要を生み出すことです。

例えば過疎化や高齢化に対応した医療システムが、データを駆使しながらＩｏＴやＡＩの技術を活用して産業化していけば、そこに新たに需要が生まれ将来的にはグローバル展開も考えられます。また、「災害大国」として建造物の補修・改修、インフラ整備に関連した潜在需要も膨大で、見逃せない内需といえるでしょう。社会課題の解決には、開かれた競争やコラボレーションを積極的に推進する「現場エコシステム」が重要な役割を果たします。

もう一つの新たなる内需は、「インバウンドのアウトバウンド化」という視点です。具体的には、訪日外国人によるインバウンド需要をきっかけに広がる、〝その後〟のアウトバウンド展開です。コロナ禍によって、インバウンド需要は凍結されましたが、越境ＥＣサイトで日本製品の売れ行きが好調な例に見るように、海外市場での日本製の製品・サービスの潜在需要の高さは健在です。ポスト・コロナの世界で今後を占う意味では、訪日時に日本の製品やサービスに親しんで自国に帰った人を、内需の延長線上での一つのマーケットと考えれば、日本の外において「新たなる内需」を見込むことができるはずです。

「産業創出」のカギを握る4分野

日本経済全体の成長においては、雇用や消費などの経済規模を鑑みると〝マザーマーケット〟である日本国内の需要創出の影響は非常に大きいものがあります。そこにおいては、「新たなる内需」の一つ目で触れた、国内の課題解決にデジタル技術を生かしたイノベーションによる需要創出がカギを握ります。

では、「新たなる内需」の創出に向けては、具体的にどの分野が有望なのでしょうか。

私は、①医療・健康、②環境・エネルギー、③災害対策、④教育の4分野がより重要になると考えています。

1つ目は、少子高齢化と密接に関わる、医療・健康分野です。医療・介護などのシルバー需要だけでも巨大な市場であり、かつ医療現場の人手不足解消、国民医療費の最適化等の課題が重い分野です。

今後は、遠隔医療の本格展開、健康や衛生管理の高度化、地域包括ケアシステムなど、デジタル技術を駆使したイノベーションにより新たな需要を生み出す余地は大きいといえます。

2つ目は、環境・エネルギー分野です。太陽光や風力発電など再生可能エネルギーは、将来的に主要エネルギー源の一つとして期待される一方で、発電量の少なさや変動的かつ分散型電源であるため、需給調整などが普及拡大の課題です。

例えば今後、AI、IoT、ブロックチェーン等を活用して需要と供給を可視化し機動的にマッチングする仕組みが実用化できれば、ハードとソフトの両面で大きな需要が創出できるのです。

3つ目は、災害対策に関わる分野です。日本は、地震、豪雨、台風などの自然災害に見舞われる頻度が高く、今後は防災機能の再構築が急務なのです。そこにおいては、災害予知や発生状況の把握機能、災害発生時の安否確認や支援物資供給等の高度な防災機能をビルトインした日本型スマートシティモデル、社会インフラの強靱化などに大きな需要がありうるでしょう。

そして4つ目は、これら全てに共通する日本の課題である〝人づくり〟の分野、特に教育産業の分野です。新しい産業づくりと共に、そのニーズに対応できる人材をどのようにして育てるのかは課題ですが、同時に、様々なソリューションが生み出されることで、教育ビジネスが活性化する余地も広がります。リモートワーク普及により時間や場所の制約が取り払われ、潜在的に多くの人材が多様な形態で教育機会に参加できるようになる中で、人財力の育成に関する教育産業は、4つ目の成長分野として大きなマーケットを生み出す可能性を秘めています。

私が、このような4分野を選んだ理由は、大きく2点あります。

一つ目は、内需の継続性です。これらの分野は生活に深く根差していて、課題解決へのニーズが尽きることがありません。すなわち、成熟化している市場にあっても、継続的に代替需要が生み出されるので、新たな産業や雇用に繋がる可能性があります。

二つ目は、課題の深刻さです。いずれの分野も、世界の中でも課題先進国である日本ならではの難しさがあります。逆に言うならば、課題に対する解決策を生み出すことが出来れば、そのソリューションを広く海外に輸出することによる成長も期待できます。

こうした理由から、〝マザーマーケット〟である日本で成長分野を定めて産業創出を促す取り組みは、より重要性を増してゆくのです。

イノベーション力を加速するための政策課題

成長分野において産業創出するために、イノベーション力を高める政策的な後押しも重要です。今後イノベーション力を高める政策課題としては以下の５つが挙げられます。

まず１つ目は、政策目標、ゴールの設定をどこに置くかという点です。イノベーションを通して新たな産業を興す上での経済規模の設定、新たな需要をどの領域で生み出すかなど目標設定をどのようにするのか、という課題です。

企業においても、将来の売上の一定割合を新たな事業で構成する、などの目標を掲げて、必要な施策や投資規模を決める方法をよくとりますが、政策においても何らかのゴール設定は必要になります。

２つ目としては、イノベーションに必要なアイデアの母数を広げることです。各地域が取り組んでいる課題解決のアイデアをデジタル上で共有するなど、地域や分野を超えてアイデアを共有し創発を促す場をつくることが大切です。

３つ目が、多分野のプレイヤーを結び付けるマッチング機能の強化です。地域の課題解決のために大企業、国内外のスタートアップ、地元企業などをどう結び付けるか、など多分野を結び付けるエコシステムへのニーズは顕在化しています。

4点目が、リスクを取りやすくする環境づくりです。以前、北欧の方から聞いた印象深いエピソードがありました。北欧でなぜイノベーションが起こりやすいのか、という問いに対して、「仮に失敗したとしても、戻れる場所があることが大きい」という答えが返ってきました。特に、教育機関の役割が重要で、「社会人になっても起業に向けて大学で学び直し、新たな挑戦ができる環境があることがセーフティーネットとして機能している」との指摘です。今後の日本においても、産官学の学の役割をはじめとして、再挑戦をし続けられるインフラ作りは重要なテーマです。

5点目がコンフリクト・マネジメント、利害対立をどう調整するかという点です。イノベーションの種が芽を出して事業化してくると、既存の規制やルールとの間でコンフリクトが生じます。日本においては、アイデアをビジネスに結び付けて広げてゆくうえで、コンフリクトの解消が一番重い課題です。既存の仕組みを変革するための産官学民の連携のあり方もイノベーション力を高める重要課題になります。

成長につながる分配こそが「人材育成」

ここからは、日本の成長を牽引する「産業創出」と両輪である「人材育成」のあり方を述べてゆきます。

今や政府を中心に、新しい資本主義、「成長と分配の好循環」のあり方が議論されていますが、分配は、将来の〝成長につながる分配〟にすることが大事です。そこでカギを握るのは「人材育成」です。

人材育成においては、日本は潜在的な強みがあります。実際に、日本は中高年層の学力が世界的に見て高いという国際比較のデータがあります。OECDの2013年のデータによると、40代以上の基礎的な学力（読解力、数的能力）は、先進国の中でもトップクラスという結果があります。これは、学校教育もさることながら、企業現場での教育や実務知見の蓄積が奏功している成果と言えるでしょう。

こうした長年にわたる「人財力の蓄積」は日本の強みであり、これらの潜在的な資産を活かして、社会全体で人的資本の価値を高める取り組みが求められています。

その一方で、この先の成長を担う〝競争力につながる人材育成〟においては課題山積です。具体的には、日本の産業競争力に直結するデジタル人材の育成は大きな課題です。

本書の冒頭で、ＩＭＤ世界デジタル競争力ランキングにおいて日本の全体の順位は64

カ国中28位という話を紹介しました。さらに各国のランキングについて評価項目を分析してみると、Talent（人財）の項目と全体の総合順位に一定の相関があることが分かりました。Talent（人財）の項目での日本の順位を見てみると、全体の47位とさらにランクが低くなっており、競争力低下の大きな要因となっています。デジタル人材の育成において日本は相対的にかなり遅れているのが実情です。

実態を見てみると、日本ではデジタル人材を育成する環境がまだ乏しいというのが現状です。ある調査（デジタル人材志向性調査２０２０）によると、日本の就業者の約8—9割が非デジタル人財であり、また別の調査では、デジタル関連の教育機会があると回答した人の数はわずか1割で、大部分の企業では教育の機会がない（もしくは認知を得ていない）という状況です。特に企業規模が小さくなるほどその傾向は高まり、デジタル教育の機会自体が圧倒的に不足しているというところが顕著に見てとれます。

デジタル人材という言葉を聞くと、デジタルの知見・スキルや理系人材、エンジニア、数理的な能力を持つデータサイエンティストのみが該当する、というイメージを持たれがちですが、ビジネスや業務の知見×デジタルの知見の両方を持つ人材こそ、必要不可欠なのです。これからは、デジタルの力を使いながらビジネスを創り出せる人材を幅広く育成することが大切です。

前述のとおり、ビジネス領域の知見の蓄積や学力については、日本は潜在的に強みがあるため、これからそれを競争力につなげるためにも、デジタル領域の知見を新たに身につけることが求められます。

「産業創出」と「人材育成」の両輪を動かすメカニズム

今後、デジタル人材を育成する上では、デジタル知見や技術を「学べる環境整備」を進めることは急務です。

しかし、実際に伸びる産業分野と結びつけて活躍できる人材を育成するには、それだけでは不十分です。身につけた知識をビジネスの現場で活用できる「実務訓練とワンセット」で進めることが求められます。つまり、〝教育と雇用の結びつき〟を同時に考える視点こそが重要なのです。

これからの成長戦略においては、「DXを通じて新しい産業を作り雇用を生み出していくこと」と「最適な学習機会と実務訓練機会をワンセットで提供すること」を両輪で進めることが求められます。そうした環境作りが、成長の牽引力である「産業創出」と

「人材育成」の両輪を、現実のものとして実装することに繋がるのです。

これらの政策は、企業や大学など教育機関が単独に〝自前〟で進めてゆくには限界があります。民間企業と教育機関、国や自治体などが連携して、国を挙げての〝脱自前〟のアプローチが必要不可欠です。

具体的には、「産業創出」と「人材育成」が相互に結びつく官民連携プラットフォームが必要になります。それぞれの産業領域や地域ごとに、デジタルを活用して新たな事業や雇用を生み出す手立てを進めてゆくと同時に、産官学が連携してデジタル人材を育成するプログラムや機会の拡大を急ぐ、そうした産官学が連携できるメカニズムを、政策として後押し進めることが重要になるのです。


人口減少下にある日本において、人材の付加価値を高め成長分野へシフトする成長シナリオを、いざ実現してゆくには、産官学のそれぞれが、過去の自前の領域を乗り越えて相互に連携する〝脱自前〟が一層求められます。日本全体が国を挙げて〝脱自前〟による「産業創出」と「人材育成」の両輪を本格的に推し進めることが、成長戦略の根幹なのです。

第８章　〝日本らしさ〟を活かして組織変革をする

変革なくして成長なし

ここまでは、日本の成長戦略の課題と解決の道筋を述べてきました。成長戦略の実現に向けてこの先最も難しいのは、成長の妨げになる「内向きなタコツボ社会」とどう向き合い、どのように〝変革〟してゆくか、ということです。

元来、日本社会は、大胆に変革することには概ね保守的かつ慎重です。その背景に、「内向きなタコツボ社会」という特性、さらに根源に自前主義という価値観が根強く浸透し、それが成長を妨げてきたことは指摘したとおりです。

戦略の御旗を掲げても、組織や社会システムの〝変革〟が実践できないと成果に結びつきません。変革課題に真正面から向き合わなければ、成長は画餅に帰します。いわば、「変革なくして成長なし」なのです。

一方で、過去から既に出来上がった、自己防衛力が高い内向きな組織や社会システムを変えることは、相当な時間とエネルギーを要します。これは、日本において民間企業、行政組織、政治体制などすべての組織に当てはまる、いわば〝日本的な組織〟の最大かつ共通の課題です。

本章では、「内向きなタコツボ社会」を構成する基本要素である「日本的な組織」に光を当てて〝変革〟のアプローチを考えてゆきます。

「内向きなタコツボ社会」に向き合うには、「日本的な組織」が持つ特性に着目して、日本らしく変革できるアプローチを生み出す工夫が重要です。

「日本的な組織」の特性とは何か

「内向きなタコツボ社会」の変革にあたり、その入り口として、多くの企業や行政組織に共通する「日本的な組織」の変革を考えてゆきます。まず〝日本的〟とは何か、その組織特性について見てゆきます。

ある研究によると、日本の組織は、ヒエラルキー（階層）に対する意識が高い一方で、意思決定は合議を重んじるという、世界的にもまれな傾向があるという指摘があります。

諸外国では、階層意識が強くトップダウン志向が強いか、階層意識が低くフラットで合議を重んじるか、どちらかに比重が置かれることが多い傾向があります。その点で日本は、他の海外諸国の組織特性とは異なる性質があることがうかがい知れます。

組織文化の研究の中で、日本は、ハイコンテクスト（暗黙知や以心伝心のように明示的に言語化されない中での意思疎通を図る）の文化的な素地が強いと言われます。ローコンテクストカルチャー（多言語、多人種、多文化の中で明示的に表現をすることが求められる）が強い海外の人々とのコミュニケーションにおいては、言語化や表現力の弱さが課題として指摘されます。

加えて、「日本的な組織」の特徴として、個人志向より集団志向が強いことが挙げられます。組織内における個人は、集団内のポジションや立場によって、もしくは周りとの距離感の中で、相対的に個人を位置付ける発想が根付いています。

これらの性質は、組織としての団結力を強くする一方で、集団としての同質性を重んじるあまり、個人の行動に対する許容度が限定され、創造性や変革に対する主体性を弱めてしまう懸念があります。また、あまりに集団志向が強いため、不祥事や失敗に対する責任が不明確になりがちです。

「日本的な組織」を変える3つの工夫

このような特性がある「日本的な組織」ですが、組織変革に際してよく用いられるキーワードがあります。例えば、「コンセンサス重視」「上への忖度」「横並び意識」などです。こうした要素は、程度の差こそあれ各組織に一定に共通して見られる傾向です。これらは、ハイコンテクストなカルチャーの文脈の中で、階層意識と合意形成の意識が高いという「日本的な組織」の特性と言えます。

こうした特性は、最近ではグローバル化やデジタル化などの劇的な環境変化に適応できない課題として指摘されることが多いですが、必ずしも短所ばかりではありません。これからは、歴史や文化的な背景に根差した日本的な組織特性を踏まえたうえで、この先の環境変化に前向きに適応できる、将来志向で〝日本らしい〟変革のあり方を見出してゆく必要があります。

私が考える〝日本らしい〟変革のアプローチにおいて、工夫すべきポイントは3つあります。それは、①リーダーシップ機能の強化、②ハードとソフトの両面からの仕組みづくり、③横からの変革です。それぞれを見てゆきましょう。

リーダーシップ機能の強化

まず1つめのリーダーシップについて、組織のトップの力を強めることは変革を成し遂げるうえで重要なポイントです。

日本的な組織では、リーダーがその立場になっても、合意形成を重んじるが故に、過去の上下関係や権威に縛られて、実態としてリーダーシップが発揮できないケースも目立ちます。例えば、いざ社長になったとしても、責任権限が明確でないことに加えて、相談役などの諸先輩や現場を掌握する役員間でのしがらみが強く、フリーハンドで思い切った判断が出来ない事例などが散見されます。

「日本的な組織」は、コンセンサス重視が全体に浸透し、現場から中間管理層、そして経営層という重層的かつボトムアップに意思決定を仰ぐというスタイルが一般的です。トップは現場の情報を掌握することに限界があり、実質的に現場を動かせる力を持っていないこともよく見受けられます。仮にトップが決定をしても、現場へ意思を伝達するプロセスの中で正しい情報が歪められるリスクもあります。

これらの課題を解決するには、組織内の各レベルにおける意思決定のルール、権限と責任を明確にするリーダーシップ機能の設計が必要不可欠です。実務的には、組織や会議体の責任権限等の方針や規程を見直すこと、その運用の順守に責任を持つガバナンスを強化することが必要です。「誰が何を決めることができるのか」、更にそこでの「決め方のルール」を明確にすることで、全体の責任・権限がより透明化されてゆきます。こうしたリーダーシップ機能を実質的に高める組織設計が、変革を頓挫させず最後まで進めるうえで要になります。

グローバル化やデジタル化の環境下で、「日本的な組織」がスピーディーに変革を遂げるには、実質的な責任と権限を明確にする組織設計がポイントです。そして、さらには一定のコンセンサスを求めつつ反対意見を議論で説得し、意思決定に導けるリーダーの出現が不可欠です。

ハードとソフトの両面からの仕組みづくり

2つめの仕組みづくりにおいては、「ハード」と「ソフト」の活かし方の工夫が重要です。ここでいう「ハード」とは、即物化しやすく目に見えるものを意味し、「ソフト」とは人の内面的要素に起因し、目に見えづらい対象を意味します。一般的には、「ハードが変わるとソフトがおのずと変わってゆく」という傾向があり、「日本的な組織」の変革においては、この点に着目することが有効です。

具体的には、ハードの領域には、戦略、組織構造、人事制度、各種ルール、システムなど、目に見える仕組みが該当し「マネジメントシステム」と呼ばれます。とりわけハードの中でも、〝組織構造〟や〝人事評価制度〟は、個人の行動変容に最も影響力を与える仕組みです。「日本的な組織」においては、集団内で自分が相対的にどう評価されているのかへの関心は高く、組織や人事評価がどう変わるかは、変革を推し進めるうえで強力なメッセージになるのです。

一方で、ソフトの領域については、目に見えないもの、企業風土、行動様式、商慣習など、人間の内面に起因した無形の要素が該当します。これらは人の価値観に根差した無形なものであるため、変革するには多くのコミュニケーションと相応の時間を要します。しかしながら、企業風土といったソフトが変わらないと組織変革は定着しないので、極めて重要な要素です。

「日本的な組織」の変革には、まずは目に見えるハード（組織構造や人事評価制度等）から変えることを皮切りに、意識や価値観などソフトを変えるためのコミュニケーションを継続する、といった効果的な進め方を工夫することが大切です。

「横からの変革」

〝日本らしい〟変革に向けた3つ目の工夫として、〝横並び意識〟を活用する方法があります。

多くの「日本的な組織」では、同じ部署や同期などといった組織内の〝横のつながり〟への意識が高い傾向があります。横並びという言葉が象徴するように、自分にとって身近な「横」が変わり始めたときに、全体への変革の鼓動は大きくなる、というポイントに注視することが重要です。

まず、「横からの変革」を起こすためには、旗頭としてのリーダーと、各所から旗手になりうる人材を広く集結させる必要があります。変革意欲が高いメンバー同士で変革チームを作ることから始め、組織のトップとメンバー同士の〝横のつながり〟を結びつける体制づくりが重要です。

トップがビジョンや方針を示し、共感するメンバー同士が横で連携することによって、変革の流れを組織全体に広げる経路が出来るのです。いざ変革を進める過程では、旗手となるメンバーが起点になって、周囲に情報を発信し巻き込む動きも求められます。

暗黙知のコミュニケーションの比重が高く、ハイコンテクストカルチャーの「日本的な組織」においては、〝周囲の動きや空気を察知して〟組織が動くことが特徴です。〝横並び意識〟が強い組織ほど、自分の〝横〟にいるメンバーの動きに対して敏感であり、変革チームが周囲をオープンに巻き込む能動的な動きにしてゆくことで、変革の流れは自ずと組織全体に広まることになるのです。

弾みをつける「クイック・ヒット」

「横からの変革」を広めるためには、〝目に見える成果〟を早めに示しながら、手ごたえや自信を広めてゆくことも重要です。この〝早めの成果〟を挙げることを「クイック・ヒット」と呼びます。「クイック・ヒット」は、組織の変革を成功させる実践ノウハウの一つです。

一般的に組織変革を行う際に、対象範囲や規模によっては、全体を一気に変革することが難しい、もしくは時間がかかるケースが考えられます。このような場合は、部分的・個別的であれ、一領域において変革の成功例をつくることが有効です。例えば、新たに経営トップが就任した企業で早々に新規の受注を獲得した、または、合併した会社同士が調達先の一本化により大幅なコスト削減に成功した、などが当てはまります。いわば、早期に目に見える成果を出すことが、変革の流れに正当性を与え、かつ当事者が自信をもって変革を進めることを可能にするのです。特に、変革に対して保守的、懐疑的な人々に対しては、具体的な成果を事実として見せながら、変革の正当性を示してゆくことが有効です。

「日本的な組織」の特性である〝横並び意識の強さ〟を利用して、変革における「クイック・ヒット」を横で共有することで、良い影響を組織全体に広げてゆく「横からの変革」は、「日本的な組織」において一定程度有効なアプローチといえるでしょう。

〝現場起点〟の変革こそ日本らしさ

〝日本らしい〟変革のアプローチにおいて、〝現場起点〟で考える視点も欠かせません。

第2章で、日本の強みは「現場エコシステム」にあると述べましたが、ここで改めて、「日本的な組織」における〝現場〟の持つ意味を考えてみます。

日本の多くの組織において、「現場が大事」という考え方は根強く浸透しています。

これは最も顧客に近いところで価値を生み出してゆく視点に立てば優れた考え方です。一方で、不正が起きた企業や組織においては、現場に任せすぎた故に、情報が上に届かずに、不祥事を長年放置してしまった等のケースでも「現場」は話題に上がります。

「現場重視」という考えは共通するものの、〝現場起点〟で良い効果をもたらす場合と、現場の失敗を制御できずに組織的な不正に発展してしまうケースに分かれ、結果に差が生じてしまう原因はどこにあるのでしょうか。

それは、現場と経営との間が「断絶」してしまうことが原因です。現場においては成功も失敗もいつでも起こりうる中で、それが上位層や経営にタイムリーに伝わるか否かで組織の対応力、経営力に差が生まれてきます。

ではなぜ、現場と経営に「断絶」が生じてしまうのでしょうか。

「現場」は末端ではなく「先端」

私は、根本的な理由として、経営の「現場」に対する価値観、捉え方の違いにあると見ています。

そこでのキーワードは、現場を末端ではなく「先端」と捉えることです。「現場」を

「先端」と見るか〝末端〟と見るか、それによって組織の動かし方は真逆になります。

まず、現場を〝末端〟と見ると、経営は、〝内向きかつ上から目線〟になります。企業で言えば、「経営→管理→フロント→顧客」であり、行政組織で言えば、「国→都道府県→市町村→住民」の階層があり、組織は自ずと内向きな論理が働くものです。組織を動かすリーダーにとって、日常の接点からすると「現場」は最も遠い存在、いつしか〝末端〟になってしまうものです。

一方で、現場を「先端」と見ると、〝外向きかつ下から目線〟になります。現場は、組織にとっては、顧客や住民をはじめ外部と最も早く触れ合う接点です。現場で起こっている問題は、複雑で一筋縄にはいかないものばかりです。組織のリーダーにとっては、より困難で大変なことではありますが、本当の解決策は現場でしか見つからないものであることも事実です。

これからは、多くの「日本的な組織」にとって、「現場こそ〝先端〟」という意識のもとで顧客や住民目線を第一にして変革に臨むことが求められます。実は「内向きなタコツボ社会」を変えるきっかけは、現場を「先端」とみることから始めるところにあるのです。

下から学ぶ〝リバース・メンタリング〟

現場を「先端」とみることで、〝外向きかつ下から目線〟で組織を変革してゆくことの重要性を述べました。ここでは、最近多くの組織において〝現場発〟で取り入れられている「下から目線で学ぶ」手法であるリバース・メンタリングについて、組織変革における有効性を見てゆきます。

リバース・メンタリングは、若手などが上位者や年長者にアドバイスを行う手法として注目されていますが、現場起点で組織を変革する際の推進力として期待できます。階層的組織や縦割りが強い「日本的な組織」の風土を変える上で、若い世代の力を活用して、世代間の意識ギャップを埋めることは、変革のきっかけになります。特にこれからは、デジタル化やSDGs等の環境変化に企業が対応し生き残ってゆくためにリーダー層の意識改革をするうえで、益々その重要性が高まってゆきます。

一方で、多くの日本企業では、リバース・メンタリングの意義は感じていても、いざ導入となると踏み切れない現実があります。実際に、大企業に勤める1万人を対象に行ったある調査（2017年）では、リバース・メンタリング制度があると答えた人は全体の16%、つまり8割以上の人にはなじみがない状況を示すデータがあります。上下の階層や縦割りが強く保守的な風土が強い多くの日本企業において、今後これをどう広げ、変革に繋げてゆけるのかは大きな課題です。

秘訣は〝斜め〟の組み合わせ

リバース・メンタリングの導入のポイントは、「〝斜め〟の組み合わせ」をいかに作るかにあります。

若手にとっては、評価者である直接の上司との〝縦〟の関係を切り離し、評価を気にせず意見を言える〝斜めの関係〟の組み合わせをどう作るか、がカギを握ります。

具体的には、若手の相手となる上位者は、指揮命令が及ぶ同一部門ではなく必ず別部門の上位者から選ぶことを必須にする方法です。或いは、「若手2名に対して経営層1名」のように、メンターの若手側の人数を複数にして数的優位を作るという方法もあります。最近では、コロナ禍で広まったオンラインツールとの相性の良さを活かし、遠方や海外メンバーを含めて組み合わせのバリエーションを機動的に変える等の工夫も考えられます。

リバース・メンタリングを一過性でなく継続させるには、「テーマ設定」も重要です。双方が自発的に「話したい・聞きたいテーマ」を幅広く設定する。例えば、デジタル商品の使い方など身近な話題から、若者の職業観、生活様式、消費性向まで幅広くテーマを引き出してマッチングさせるなどの工夫をしている例もあります。

このような動きは一部の企業で始まった取り組みですが、多くの「日本的な組織」にとっては、リバース・メンタリング導入をきっかけに、〝世代や部門の壁を超えてお互いが学び合う〟という新たな風土変革に向けた好機になります。

「先と外」の危機感から始まる自己変革

これまでは、組織的な特性を活かした〝日本らしい〟変革アプローチを、様々な視点から見てきました。

これから「日本的な組織」が変革を進める上で、最も大事なことは、受け身ではなく、自らの意思に基づいて変わる〝自己変革〟が出来るかどうかにあります。

持続的成長に向けては、平時から自らが能動的に変わってゆく「自己変革力」が求められます。しかし、自ら変革の必要性に気づき、実行を継続することは言うほどに簡単ではありません。

いつの時代も、変革のきっかけは「危機感」にあります。現状のまま停滞し衰退することへの「危機感」こそが、組織の自己変革力を突き動かすのです。業績低迷や明らかな苦境に陥ったような有事には、誰しもが危機感を持ちますが、平時から常に危機感を持ち続けることは難しいのです。

では、平時から危機感を持ち、自己変革を興すには何が必要でしょうか。その答えは、「先と外」にあります。言い換えれば、「先のこと（将来の変化）」、「外のこと（外部の変化）」をいかに「自分事」として捉えられるかにかかっています。将来（時間軸）と外部（市場）の変化に対して、いかにアンテナを張って敏感になれるかがカギを握ります。

タコツボ体質の「断絶」をどう乗り越えるか

「日本的な組織」が、自己変革できるようになるには、平時から「先と外」に危機感を持つこと、すなわち、将来の変化を予測できる洞察力（先を読む力）、そして、外部で起こる変化を客観視できる観察力（外を見る力）が必要です。

一方で、元来組織は保守的で、既存のものを守ろうとする自己防衛の意識が自然に働くため、過去や現状を否定しかねない変革には不安が先行し、抵抗感から隔たりが生まれやすいのも事実です。

将来の道筋が見えない〝先〟への不安、〝外〟からの期待と内側の論理との間に生まれる隔たり、組織〝内〟の立場の違いからくる利害の隔たり等、変革を進めるほどに、「先、外、内」のあらゆる局面で「断絶《へだたり》」が生まれます。

実は、ここにこそ「内向きなタコツボ」体質の日本的な組織が、変化しにくいことの原因があります。自らの領域を守るために、変化に対して保守的になり、周囲とのつながりを絶ってしまいがちになる、いわばタコツボ体質が、〝断絶〟を生み出すのです。

つまり日本のあらゆる組織は、長年にわたって変革の必要性を声高に掲げつつも、「内向きなタコツボ体質」であるが故に強固になる「断絶」を乗り越えることが出来ず、変革は成果が未達成のまま頓挫してしまうことが多いのです。

では、「日本的な組織」が、「断絶」を乗り越えて自己変革するには何が必要でしょうか。そこには、自らが平時から危機感を持ち、変革を興し、さらに持続させるための仕掛け（メカニズム）が必要です。具体的には、将来（先）や外部（外）の変化に対して、組織が、断絶することなく変革に結びつけられる〝つながり〟を作る仕掛けが重要です。「日本的な組織」に、断絶を乗り越える〝つながり（連鎖）〟を作るメカニズムが、自己変革の原動力になってゆくのです。

自己変革の「3つの連鎖」

「日本的な組織」の自己変革には、健全な危機感を生み出す源である「先と外」との間に、いかに〝断絶〟せずに〝つながり（連鎖）〟を作ってゆけるか、その仕掛け作りがポイントです。具体的には、「時間軸（先）」、「市場（外）」、「組織内」の3つの観点で〝つながり（連鎖）〟を作ること、私はこれを、自己変革の「3つの連鎖」と名付けています。

「時間軸（先）の連鎖」は、経営理念や哲学などの価値観、経営リーダー間の伝承、長期と短期を繋ぐマネジメントサイクルなどにおいて、過去、現在、未来の時間軸を繋ぐための仕掛けが必要です。多くの日本企業は、この先は、中期計画のみならず、10年後やそれ以降の長期を見据えた将来のビジョンに目を向けることで、従来は見えなかったリスクやチャンスを意識することが必要です。こうしたマネジメントサイクルを持つことで、「今は良くてもこの先続くとは限らない」という〝先〟に対する健全な危機感を組織として持つようになり、不断の自己変革へと繋がるのです。

「市場（外）との連鎖」は、顧客や競合といった〝外〟の情報を、平時から組織に取り込む〝つながり〟を作ることです。それにより「自分たちは頑張っているつもりでも、顧客のニーズと異なっている。他はもっと優れているかもしれない」という、〝外〟への客観的な見方が生まれ、自己変革への健全な危機感が生まれるのです。

さらに「組織内の連鎖」とは、「先と外」からの危機感を組織内で共有し、自己変革に結びつけるための〝つながり〟を意味しています。断絶が起こりがちな、経営と現場の溝、部門間や階層間の壁や殻を乗り越えて、組織が一枚岩になるための〝つながり〟を作ることが、持続的な自己変革に繋がってゆくのです。

このように、「時間軸（先）」や「市場（外）」との連鎖により組織が健全な危機感を持ち、「組織内の連鎖」により組織が一枚岩となって変革してゆく、「3つの連鎖」の仕掛け（メカニズム）こそが、自己変革できる組織の要諦です。

自己変革の「3つの連鎖」によって、あらゆる組織が変革の断絶に陥らず自ら変革できるようになること。それが「内向きなタコツボ社会」を、組織というミクロ的なレベルから乗り越えて〝脱自前〟を実現する道のりに繋がってゆくのです。

第9章　デジタルの力で社会システムを変革する

「内向きなタコツボ社会」をデジタルで変えるには

ここまでは、「日本的な組織」というミクロ的な立場から〝日本らしい〟変革のあり方を見てきました。「内向きなタコツボ社会」を変えてゆくには、それぞれの組織が「タコツボ」を内側から打ち破る自己変革力を発揮することが必要不可欠です。

そのうえで、個々の組織を連動させつながりをもって社会システム全体を変えてゆく、〝脱自前〟に向けたマクロ的な視野での変革のアプローチも併せて必要になります。

ここからは、デジタルの力を最大限に活かして「内向きなタコツボ社会」をどのように変革してゆくのかを見てゆきます。

「内向きなタコツボ社会」という現実に対して、否応なく迫ってくる〝デジタル〟という影響力をどう生かすかは、〝日本らしい変革〟の大きなきっかけになります。

本来、デジタルには、内向きで部分最適なタコツボ化とは真逆の〝破壊力〟が存在しています。デジタルの世界は全てがデータを通してオープンに一気に繋がることが特徴ですが、逆に、このデジタル力を活かすことが、長年にわたって変革が不得手であった多くの日本の組織の課題を明らかにし、旧来の発想の転換を促すきっかけにもなるのです。

まさに破壊力を秘めたデジタルの力を活かし〝創造的な破壊〟に繋げられるか、自らの変革がいま問われているのです。

DXの本質とは何か～新たな付加価値を生み出す

最近、DX（デジタルトランスフォーメーション）という言葉がいたるところで使われています。デジタル力を活用した変革を意味する言葉ですが、その目的は、デジタル技術やデータを駆使して、既存の事業や業務のやり方を変革して〝付加価値生産性〟を高めてゆくことにあります。これからの日本の「成長」に向けて、人財の付加価値を高めることが生命線になる中で、DXをいかに進めるかはとても重要です。

ここで「付加価値生産性を高める」ことには2つの意味があります。1つは、効率性を高めてゆくことです。2つ目は、新たな付加価値を生み出してゆくこと、いわば創造性も求められるということです。デジタル化は、人間の仕事を自動化などを通して効率化するだけではなく、単調な仕事から解放し、より創造的な仕事や活動に集中することを可能にします。

実際に、企業を例にとってみると、デジタル力を活かして〝創造的破壊〟に繋げられるＤＸには、既存の業務や事業を効率化する取り組みから始まり、顧客との接点の持ち方、製品やサービスなど価値提供の仕方、最終的にはデータを活用して、今までにない新しい付加価値を生み出すイノベーションに至るまで、幅広い変革の取り組みが当てはまります。

とりわけ重要なことは、既存のビジネスモデルを前提とせずに、新たな価値を生み出すモデルへの変革を試みる取り組みです。具体的には、顧客との接点を変革し、新たな顧客体験を提供する取り組みです。最近のサブスクリプションモデルへサービスの在り方を変える、既存事業と異なる新規事業を生み出すなども一例です。

つまりは、ＤＸの行きつく最終形は、「新しい価値をどのように生み出すか」ということに本質があるのです。データの蓄積と活用によって価値を生み出すことが出来れば、物理的な人口減少とは関係なく、累積的に経済価値を高め続けることに繋がります。つまり、DXによる付加価値化は、成熟した日本においてこそ「成長」に大きく貢献する方法なのです。

デジタル変革における「日本的な組織」の課題

デジタル変革(DX)は、企業のみならず行政・自治体を含めて各所で展開されています。しかしその一方で、DXを進めてゆく中で、多くの組織は変革の難しさに直面しています。実は、その難しさは、技術的問題ではなく、「日本的な組織」の構造や運営ルール、慣習、風土などの変革、いわば〝組織・人間系〟の課題にあります。

ある企業の経営トップとの会話の中で、DXの難しさを象徴するエピソードがあるので紹介します。この会社は、売上は数兆円の日本を代表する大手企業ですが、データに基づく経営(データドリブン経営)を進める目的で、意思決定にどのデータを使っているのかを一通り調査しました。その結果、約10部門の中で扱っているデータのうちに、部門間でほぼ共通するデータが4割近くあることが判明しました。

加えて、共通性があるデータにも拘わらず、全ての部門が異なる帳票やプロセスで意思決定をしている実態が明らかになりました。もし仮にデータが全て可視化されて共通業務を統合してゆけば、部門は10も分けておく必要がないのでは、という現実が見えてきたわけです。更に、デジタル化がより進化し、現場から経営のトップに情報が上がる仕組みが出来ると、現場からの情報を吸い上げてトップに報告していた管理職の役割が減ってしまい、最終的には仕事がなくなる、という現実に直面しました。

現場とトップが直結すると、今まで組織を支えてきた中間管理職の役割も必要なくなる、部門間でデータが共有されると部門の数も減り、大幅にポジションがなくなりモチベーションも下がってしまう、そうした新たな課題が浮かび上がってきたのです。

つまり、急激なデジタル化を進めると、既存のルールや組織が崩れてしまうリスクがあり、既得権を守ろうという抵抗がさらに強くなる、ここをどう変革するかが一番の悩みなのです。

経営トップいわく、「DXを進めていく中で一番難しいのは、組織と人、それを支える風土や慣習だ」ということで、デジタル変革を進めることは、今まで多くの日本の企業や組織を形成してきた縦割りや中間管理層の必要性を根幹から問い直すインパクトがあるのです。

デジタルを活用しながら〝「日本的な組織」をどう変革するか〟は、「内向きなタコツボ社会」の変革のあり方を考える縮図でもあるのです。

「在るものを活かして、無きものをつくる」

これまでの日本は、既存の組織や仕組みの力が強く総じて変革に保守的でした。ここで考えるべきは、既存の組織やシステム自体を「壊す」ことへのエネルギーです。「何かを壊して新しいものを創る」という発想に立つと、色々な衝突や抵抗にあって、時間もエネルギーもかかるのが現実です。成熟社会の日本において、既存の組織やシステムは完成度が高いため、出来上がったものを壊すことに多くのエネルギーを費やすことは得策ではありません。

これからのデジタル化の時代においては、従来とアプローチを変えて、デジタルの力を活用し、「〝壊さずに〟新しいものを創る」という発想を持つことが重要です。既存の内向きな状態ながらも、相互にデータをオープンに繋ぐことで仮想のシミュレーションが出来る技術を最大限に利用して、既に在るものを〝壊さずに〟、同時に〝新しいものを創る〟ことで変革を進めるアプローチを考えることが有効です。

私は、この新たなアプローチを「在るものを活かして、無きものをつくる」という表現を用いて提唱しています。これは、既存の組織やシステムを壊すエネルギーを最小限にしながら、新たなものへの移行を促す「日本らしい」変革のアプローチです。

「内向きなタコツボ社会」をデジタルの力を使って変革するには、DXの本質を踏まえて、新たな価値をいかに生み出すか、を起点に発想することが大切です。

既存のモノを最初から壊すのでなく、〝新たなものを先に創る〟ことにより、既存の組織や仕組みを変革する方法、それが「在るものを活かして、無きものをつくる」というコンセプトです。具体的には、既に存在しているもの（在るもの）の中で、今までデジタル化されていなかったものをデータ化することから始めます。データを介して可視化するとともに相互に結び付けながら、新しい世界（無きもの）を〝仮想空間〟でシミュレーションすることで、現実の世界にとって有効な施策を予め見極めて、それを社会実装してゆく方法です。

データを活用して仮想空間で新しいものを創る力を強めることによって、既存の在るものを変容させる際に起こる抵抗を自ずと抑えていくという発想です。これはたとえ話ですが、「石器時代は石が無くなったから時代が変わったのではなく、青銅器などより優れたものが出来たことによって変わっていった」というように、既存のモノを壊すのではなく、更に魅力的な新しいものが出来ると自ずと既存のモノは変容して行く、そのアプローチをデジタルの力を使って実現しようというものです。

日本社会は、その特性として、自ら先んじて変化を起こすことは比較的苦手ですが、一度起こった変化に対して柔軟に対応してゆく〝適応力〟には優れています。また、異なる事象を排除せずに〝最適な折り合い〟をつける〝融和力〟も日本的な社会ならではの特性です。長きにわたって根付いている「タコツボ社会」を脱するには、デジタルの繋ぐ力を利用して新しいものを作り、日本の強みである〝適応力〟や〝融和力〟を活かして変容を促してゆく、そうした〝日本らしさ〟を活かした新たなアプローチが有効なのです。

データ化して〝仮想空間〟を活用する

日本には、既に素晴らしい資源や社会的な仕組みが多く存在します。しかしながら、その大半はアナログな状態で存在しており、データとして把握できているものは一部に留まっています。今後は、それらをデジタルで繋いでデータ化することで、現実世界と離れた仮想空間で、実際に効果を得られそうな対象をシミュレーションすることができます。これが従来とは異なるところです。

このアプローチは、既に製造業などの現場で最近よく用いられる〝デジタルツイン〟という方法に似ています。例えばモノづくりにおいては、製造工程に関わる一連のデータを集めて、効果が得られそうなラインのオペレーションを、仮想空間にてシミュレーションします。その検証を経て効果が実証されたものから、実際の工場などのリアルな生産プロセスの変革に反映させてゆく手法です。既存のモノを動かす前に、想定される効果をバーチャル上で検証して臨むことで、リアルな現実世界を変革するうえで抵抗が少なくなることが特徴です。メタバースの発展と共に、仮想空間との接点が身近に感じられるこれからの時代において、このアプローチの重要性は増してゆきます。

仮想空間上で検証されたものを現実世界で実装する段階においては、元来の日本が持つ高い適応力、融和力が発揮されて、既存の組織やシステムが自ずと変容する、日本らしい変革に繋がることが期待できるのです。

東北大学サイエンスパークの共創の仕組み

「在るものを活かして、無きものをつくる」取り組みの一例として、2章で触れた東北大学サイエンスパークの事例があります。産官学が連携して、デジタル技術を活用して日本社会の新たなインフラの実装に向けて取り組んでいます。

東北大学では社会インフラデータ（地理データ、橋梁・道路のひび割れ画像データ）や材料系データ（構造・物性・機能データ）、ライフ系データ（ゲノム・医療・バイオデータ）等を蓄積しています。

サイエンスパークには、様々な民間企業やベンチャー企業等を誘致していますが、そのようなステークホルダーの共創の場をリアルとバーチャルの融合空間につくっています。具体的には、5G／Beyond5G、AR／VR、3Dプリンター等の技術を組み合わせた共創環境をつくり、企業や研究機関がアジャイル（機敏な）かつ効率的に研究開発できる環境を整備しています。

これらのデータを活用して、サイエンスパークに誘致した研究開発型ベンチャーの技術、大企業のアセット、大学の総合知を結び付けて、災害や感染症などをはじめ地球規模の課題の解決に向けて、事業実証から社会実装まで実践する取り組みを進めています。

「価値創造サイクル」へのつながりをいかに作るか

「在るものを活かして、無きものをつくる」というアプローチは、具体的には、３段階のステップを経て、一連の「価値創造サイクル」を作ることによって実現できます。

まず、第一ステップでは、「データを取る」ことです。日本にはリアルな現実空間では優れているものが多数ありますが、大半は未だデータとして取れていないものが多いのが実情です。そこで、データとして取ること、見えるような形にしていくことが第一歩です。

第二は、「つながりを作る」ことです。データとして可視化されたものを仮想空間で繋いでゆき、さらにはシミュレーションして、あるべき社会の姿を創っていくことです。現実世界で試す前に、仮想空間で新しいものを試してみることが、デジタル力を活かす変革ならではの特徴です。

第三は、「価値を生み出す」ことです。仮想空間におけるシミュレーションで効果が検証されたものを、現実のリアルな世界に反映して、実際に価値を生み出していくというステップです。

日本社会には、既に優れた「在るもの」が多数挙げられます。具体的には、国際競争力がある数多くの産業分野、成熟した社会インフラ、安心安全を保つ仕組みと高いマインド、自然や歴史等の文化資産、勤勉でスキルや質の高い働き手、消費者の目が肥えて成熟した市場等があります。

これらの既に日本に「在るもの」の強みを、仮想空間でシミュレーションを通して、変えるべきものを変えて、新たな「無きもの」として実現する「価値創造サイクル」は、日本のあらゆる社会システムの変革に応用できるアプローチです。

自動運転におけるセキュリティのルール形成

日本の国際競争力に繋がる自動車業界の取り組みに、自動運転に関する情報セキュリティ関連のルール作りの事例があります。この取り組みでのアプローチは、「価値創造サイクル」によって、実際に「価値を生み出す」成果に繋がった取り組みと見ることができます。

自動車業界では、車や工場のデジタル化、ＩｏＴ化が進むにつれ、コネクテッドカーや自動運転車などを狙うサイバー攻撃も増加して、情報セキュリティをいかに担保するかは重要課題でした。

それらの課題解決に向けて、自動車関連団体と政府関係機関が協調し、世界に先駆けて自動運転のセキュリティ関連ルールを構築しました。２０２０年4月に施行された道路運送車両法の改正です。それにより、日本の公道でのレベル３の自動運転が認可され、それに対応した自動運転車がいち早く日本で市販される成果に至りました。

このケースは、自動車業界や官民が一体で、世界に先駆けてルール作りをしてきた価値創造サイクルの好例です。

具体的には、（1）自動運転のセキュリティは〝協調領域〟という認識の下で、各社が「データを取る」、更に、（2）業界団体が旗振り役になり、メーカー、サプライヤーも含めてサイバーセキュリティリスクのデータ共有・分析の推進組織「J-Auto-ISAC」を設立し「つながりを作る」、そして、（3）安全意識に基づきシミュレーションを行い、実際の現実世界の法改正という「価値を作る」までに至った「価値創造サイクル」です。

この成功例の背景には、日本の自動車業界の世界的に優れた安全技術や意識という「在るもの」を活かしたことがあります。さらに、相互にデータを共有、ルール作りの仮想検討を通して、現実世界で、当時は「無きもの」であった世界標準となる法改正というルール作りを実現しました。それによって、メーカーにとって望ましい開発環境が生まれ、ユーザーとしても安心・安全な自動運転の体験ができるようになりました。まさに「在るものを活かして、無きものをつくる」アプローチの成果と言えるでしょう。

「価値創造サイクル」の課題と成功要因

「価値創造サイクル」の実践を広めてゆく上では、現状は幾つもの課題があります。

まず、価値創造サイクルの第一段階の「データを取る」について、データを取ること自体が課題です。日本では紙が多く使われ、データベース化されていない場合や、データベースがあってもデータ共有に心理的な抵抗感がある場合があります。

第二段階の「つながりを作る」の課題としては、データ共有の場がまだ少なく、データをつなげるためのルールが存在していないことが課題です。また、データをつなぐ様式が標準化されておらず、各社が異なる様式でデータを保有しています。更に、つなぐ際のセキュリティについても堅牢にする必要があります。

第三段階の「価値を生み出す」について、データを読み解き価値に変えていくための人材不足や、既存のルールが制約となっていることが課題として存在します。

このような課題を克服し、「価値創造サイクル」を進めていく上での重要な成功要因は三つあります。

一つ目は「官民連携によるオーナーシップ」です。組織単位でバラバラになっているデータを公共の空間でつなぐには相当なオーナーシップが必要で、官民が連携してオーナーシップを統一することがポイントです。

二つ目は「オープンな仕組み」です。幅広い企業を巻き込みながら、情報の共有や価値創造を共に行う、オープンな仕組みを意識的に創ることが重要です。

三つ目は「革新的なルールづくり」です。仮想空間での結果を現実世界に実装する段階で、既存のルールに縛られて、タコツボ化に回帰してしまう恐れがあります。そのため、変革のボトルネックとなっている既存ルールを明確にし、抜本的に変えていく姿勢を持つことが非常に重要なのです。

「新たなる公（おおやけ）」～〝官〟の〝脱自前〟

日本社会のデジタル変革を推し進める「価値創造サイクル」を実現するには、国や自治体、あるいは企業がそれぞれ〝自前〟でバラバラに取り組むのではなく、産官学民が「公（おおやけ）」のために、という共通目的のもとで一体になって〝脱自前〟に取り組んでゆく必要があります。

これまでは、国家戦略や公共政策の担い手は政府が中心、いわば「官」という認識がありました。しかし、〝脱自前〟の社会においては、「官」が全て自前で行うことは不可能です。いわば、〝官の脱自前〟が求められるのです。これからは〝公〟を担う主体を広げて考える、いわば「産官学民の新たなパートナーシップ」のあり方が重要になります。

〝脱自前〟社会において、より求められるのは「新たなる公（おおやけ）」という概念です。これは、「〝産官学民〟のそれぞれが、公において役割と責任を果たす主人公である」という考え方です。従来のように、官の世界を意味する狭義の「公」ではなく、社会あるいは地球規模で考えることが「新たなる公（おおやけ）」という意味で、ＳＤＧｓ（持続可能な開発目標）の考え方にも相通じる概念です。

「新たなる公（おおやけ）」の世界においては、官の役割、国や自治体のあり方も抜本的に変わっていく必要があります。

これからの「官」として、行政や自治体に求められる役割は、行政サービスを体験する国民や民間サービスを使う人、つまりユーザー一人ひとりの満足度を高めることです。特に、デジタル変革による最終的な目的は、国民や消費者目線に立った「シームレスなデジタル体験」にあります。「新たなる公（おおやけ）」においては、官と民、とりわけ国民や消費者との距離を、ユーザー目線から最適な形に縮めてゆくことが求められます。

一方で、「民」の立場の企業においては、自社の都合や利益だけを考えるのではなく、顧客はもちろん、提携先の企業や連携する公共組織のことまで目を配り、社会全体の利益を最大化する視点が求められます。

この先の時代は、社会課題解決に携わる〝産官学民〟のそれぞれが、「新たなる公（おおやけ）」の〝当事者〟なのです。

終章　日本の未来は〝個人の脱自前〟が創る

〝脱自前〟による成長の流れ

本書では、人口減少下の日本では、「一人一人の付加価値を高めること、更には、それらをベストに組み合わせることで社会全体の付加価値に繋げる」という成長シナリオの下で、「産業創出」と「人材育成」の両輪こそが成長の牽引力である、との認識を述べてきました。

「産業創出」については、イノベーション力、既存の事業や組織の産業競争力をどう高めるかを、「人材育成」については、雇用と教育のあり方をどう変えるか、〝脱自前〟の視点から目指す方向性を述べてきました。

そして、〝脱自前〟の先に目指すべき「成長」の姿、その実現に向けた成長戦略について、〝経営の視点〟から論じてきました。成長戦略においては、限られた資源の中で、

「産業創出」と「人材育成」の両輪に重点を置いて伸ばしてゆく具体論を述べてきました。

そのうえで、成長戦略の実現に向けて、「内向きなタコツボ」になりがちな「日本的な組織」や社会システムをどう変えてゆけるのか、を考えてきました。「日本的な組織」の特性を踏まえて、自己変革できる組織やデジタルを活用した社会システムの変革について、解決に向けた突破口になりうる要諦を論じてきました。

このように、イノベーション、事業、雇用、教育の〝脱自前〟、さらに、「日本的な組織」や社会システムを変革するアプローチにおいて、企業というミクロ的な視点に軸足をおきながら、産業や社会システム全般へとマクロ的に視野を広げて、論を展開してきました。

終章では、それを私たち一人一人が個人レベルでどう受け止めて、行動を変えてゆけばよいのか、〝個人の脱自前〟について述べてゆきます。

「両極化の時代」

〝個人の脱自前〟を考えるうえで、コロナ禍を経て、これからの時代がどのように変わってゆくかを見据えることが重要です。私は、これからの世界を「両極化の時代」と捉えています。

「両極化」とは、北極と南極のように両極に位置する、相反した力が同時に強まる現象をいいます。このような動きはあらゆるところで顕在化しています。

例えば、グローバル化においては、ヒト・モノ・カネ・情報が国境を越えて自由に広がる一方で、経済格差拡大や社会的不安の高まりから保護主義や経済のブロック化などの動きがあり、グローバルとローカルという両極の対立が先鋭化しています。

デジタル化においても、GAFAのようなプラットフォーマーの拡大と同時に、その対極として「GAFA分割論」や「プライバシーの保護」といったGAFAによるデータ支配をけん制し、分散化する対極的な動きが目立っています。

ソーシャル化においては、資本市場で株主へのリターンを最大化する流れがある一方で、温暖化や格差拡大といった地球規模の社会課題に注目が集まり、SDGsやESGを重視する機運も世界的に高まっています。

こうした両極化が起こる主たる理由は、本来の人間の〝根源的な欲求〟の強まりが表面化していることにあります。人間の欲求というものは、細胞レベルで壊すものと創るものが同居しているように、相矛盾する方向の力が内在されています。

コロナ禍といった数年にわたる世界的な生存の危機を経るなかで、〝不要不急を避ける〟という行動に象徴されるように、本当に必要なもの、本質が見極められ、必須のものにニーズが集中する流れが強まっているのです。つまり、「両極化の時代」とは、〝本物志向の時代〟なのです。

〝どちらか〟ではなく〝どちらも〟の選択

「両極化」の時代を生き抜くうえで、相反する両極的なものを分断させずに両立させることが重要です。放っておくと分断しがちな真逆の要素を、うまくつなぎ合わせ、多様なステークホルダーと多面的・多層的なつながりを持って、各種の課題を解決できる力が問われます。

「両極化の時代」の本質は、〝どちらかを選ぶ〟のではなく「どちらも選ぶ」ことにあります。いずれも人間の根源的ニーズに依拠しているものなので、どちらもその必然性があります。それをいかに最適な組み合わせで選んでゆけるかが問われます。例えば、「リモートかリアルか」「米国と中国のどちらと付き合うか」という問いと同様にどちらかを選べば解決するほど単純ではありません。

両極化する物事に対して、〝どちらかではなく、どちらも選ぶ〟ためにバランスや組み合わせを〝最適化〟する力が求められます。具体例の一つにリモートワークがあります。コロナ禍をきっかけに、多くの人々がリモートワークの利便性や、同時に多数が繋がるメリットを享受したと同時に、人が同じ場に集まるからこそ士気が高まるリアルの価値も再認識しました。今後の新常態（ニューノーマル）の働き方においては、全体としてリモートとリアルの組み合わせをどうするか、多様な勤務形態、生産性、満足度などを勘案して全体をバランスさせ〝最適化〟する力が求められます。

最適化するうえで求められるのは、全体を描く構想力です。相矛盾するものを単に二項対立としてではなく〝二項同体〟として捉えてゆくには、一段上の視点に立って全体を俯瞰し、相互関係を再定義し、課題解決に最適な組み合わせを見出す構想力が必要になります。「両極なるもの」のいずれかを排除する二項対立にせず、多面的・多層的につながりを見出し、融合する力は日本の伝統的な強みだと言えます。

これからは、「どちらかではなく、どちらもとる」、トレード・オフではなく〝トレード・オン〟にしてゆくために〝最適化する力〟を大いに活かしてゆくことが、あらゆる場面で大切になってゆきます。

将来に向けて最適化する力は、従来の「内向きなタコツボ社会」のしがらみから脱却し、既存のものと未来に必要なものとの対立構造からトレード・オンへと発想を転換する〝脱自前〟にこそ、必要とされる力なのです。

個人に求められる〝脱自前〟な生き方

両極化の時代に、相反するものを〝どちらもとる〟ために融合させる力は、企業だけでなく「個人」にも同様に求められてゆきます。

「どちらかではなく、どちらもとる」という時代は、私たち一人一人の働き方やキャリアの考え方に確実に影響を与えます。これからは、個人の中に多様な選択肢を持つ時代になります。いわば、人生の中で複数の職業や多様な所属先を持つような〝マルチキャリア〟や〝ポートフォリオ・ワーカー〟という生き方が次第に増えてゆきます。

先に見たように、〝雇用の自前主義〟に基づく終身雇用が主流の時代は、働く個人にとっては所属する選択肢は限られていました。所属する会社や組織内での立場が、自分のキャリアとほぼ同一線上にありました。しかしながら、兼業や副業をはじめ雇用の

〝脱自前〟が進み、企業経営においてウェル・ビーイング（Well-being）が重視されてゆく時代には、今までと違って、従業員に対して、企業が社内外を含めて多様な選択肢を用意する流れはより強まってゆきます。このことは、個人のキャリアの考え方に大きな影響をもたらします。

これから、個人にとっては、「今までの所属企業での関係のみが自分の守備範囲だ」という旧来の自前の概念から脱却して、他でも通用する自らの強みを探求する〝脱自前〟が求められます。この先は、個人においても「どちらかではなく、どちらもとる」という職業の選択肢を広げることが大事になります。このことは、必ずしも過去を否定し、既存の立場を捨てることを意味しません。自分の強みを再発見し、〝本業を再定義〟することで、むしろ新たな出会いの可能性を広げることに繋がるのです。個人として、これからの社会の中で〝居場所を増やしてゆく〟ことは、旧来の閉塞感を打開し人生の選択肢を拓くことにも繋がるのです。

「長所を伸ばすのか」vs「短所を減らすのか」

これからの日本社会において、〝個人の脱自前〟を通じて、所属する居場所やキャリアの選択肢を広げるうえでは、人財に対する見方を見直してゆく必要があります。

これまでは、日本の教育現場や企業の人事評価においても、集団の中でのバランスを重視し、比較的一律で横並び、更にはマイナスを減らす、減点を少なくして平均値を高めることに重点が置かれてきました。

その結果として、安全を重視し、正解を求めるが故に、失敗を恐れてしまう、〝事なかれ〟をよしとして、果敢にチャレンジしなくなる傾向が根付いてしまいました。

今後は、集団の中で一律ではなく、個別に〝強みを磨く〟ことがより大切になってきます。デジタル技術が発達し、ＡＩやロボットのような代替手段が台頭する世の中では、全方位的に対応するのではなく、〝自分にしかできない、自分らしい個性〟を磨くことが求められます。それに伴い、人財に対する評価も変える必要があります。

これからの時代は、今までのようなマイナス（弱み）を底上げするよりも、「プラス（強み）をより伸ばすことを優先する」という考え方がより大事になってきます。

〝個人の脱自前〟においては、自他ともに〝強み〟を見出し、相互に尊重してゆく環境が大切になってゆきます。人材育成においては、強みや個性を尊重してゆくマインド、弱みは相互に補い協力し合う関係を積極的に作り出せるコミュニケーション力がより重要視されてゆくのです。

評価は相対、成長は〝絶対〟

〝個人の脱自前〟では、自分の本業や強みを見極めることが大事です。

しかしながら一方で、物事がますます両極化し、〝正解が存在しない〟時代にあって、自分の〝本業を再定義〟するなどは、言葉で言うほど簡単に出来るわけではありません。先の見えない不安や、試みの結果や成果が出ないことへの諦めなど、〝個人の脱自前〟を進める過程においては困難を伴うことが多いのが事実です。周囲からの評価によって、心がくじけてしまう場面もあるかもしれません。

つまり、〝個人の脱自前〟は、試行錯誤の繰り返しによって生み出されてゆくもので、決して一過性ではない終わりなき営みなのです。

実は、こうした継続的な営みを続けてゆくには、個人における心持ち、マインドセットがとても大切になります。

私は、個人の〝心持ち〟、マインドセットにおいて、「評価は相対、成長は絶対」という捉え方が大事だと考えています。

本書では、第6章で「成長」について述べてきました。成長とは「多面的に価値を高めること」、「フローだけでなくストックも併せて考える」などの見方を示しましたが、実はこのことは、「個人」にも当てはまります。

思うように結果が伴わず、周囲の人から評価を得られない場面においては、評価はあくまで〝相対的〟なものだ、と自らを冷静に受け止めることが必要です。

ここでの相対とは、他者との比較や、今と将来を比べる時間的な比較の、二つの意味がありますが、いずれにしても、人からの評価は、組織内の状況やタイミングによって変わりうる〝相対的〟なものです。

その一方で、自らの「成長」というものは、〝絶対的〟なものです。現在の自分を、過去の自分から見るならば、その後の人生経験が積み重なっている分だけ、トータルな力量の〝絶対値〟は確実に高まっています。例えるならば、ベテランのスポーツ選手は、スピードやパワーは年と共に衰えたとしても、インサイドワークや判断力などは経験と共に高まります。「成長」を多面的な物差しで、ストックを含めて捉えるならば、その価値は高まっているのです。

つまり個人の「成長」とは、他人からの相対的な評価で判断するものではなく、それまでの努力の蓄積が価値の高まりに繋がる〝絶対的〟なものなのです。

〝個人の脱自前〟に向けた営みを続けるには、自分の成長を絶対視して肯定的に捉える見方がとても大事です。〝正解が存在しない〟不確実な世の中にあって、自らを信じて試行錯誤を肯定的に捉え、〝絶対値〟を高めるために挑戦してゆく生き方が、〝脱自前〟を支える心持ちになるのです。

挑戦できる環境が促す「個人の産業化」

〝個人の脱自前〟を行動に起こすうえでは、個人のマインドセットと共に、常に強みを試せるようにチャレンジ出来る機会、失敗してもやり直しが継続できる社会的環境が必要です。例えば、個人がキャリアの選択肢を広げるうえでは、兼業、副業、転職、起業などの挑戦の機会を増やすことが望まれます。しかしながら、経験がない新しい分野に飛び込む挑戦には相当な勇気とリスクが伴います。

これからは、そうしたリスクを個人だけに負わせるのではなく、社会的にも一定程度許容してゆく考え、いわば〝失敗から学べる〟環境づくりが必要です。挑戦した結果としての失敗を許容し、学びなおし、やり直しができる環境を整えることが、個人としての〝脱自前〟を促し、価値を高める「成長」に繋がるのです。

〝個人の脱自前〟の行き着く先は、究極的には「個人の産業化」です。それぞれの強みを磨き、〝本業の再定義〟をすることによって、新たな自分の本業が〝産業化〟してゆくチャンスは、これから益々広まってゆくことでしょう。

個人が「産業化」することで一人一人の付加価値を高めながら、お互いに連携できるベストな組み合わせが次々と生み出される、そんなエネルギーこそが、これからの日本社会の成長を力強く牽引してゆくことにつながるのです。

〝日本のパーパス〟は何か

本書では、ここまで一貫して、〝脱自前〟による日本の「成長」のあり方を論じてきました。これまでの成長を妨げてきた「内向きなタコツボ社会」をどのように〝変革〟するか、という課題に対して、〝日本らしい〟組織変革のアプローチ、さらには、デジタルの力を活用した「在るものを活かして、無きものをつくる」という変革の方法を提言してきました。そして最終的には、それらを支える私たち一人一人の〝個人の脱自前〟がもたらす「個人の産業化」の可能性までを述べてきました。

ここで、改めて内省すべき大切なことがあります。それは、成長を妨げる原因として指摘してきた「内向きなタコツボ社会」を作り出している主体は、実は、私たち自身であるということです。企業、社会システムの主体を担う私たち個人が、今まで抱えてきた固定観念を脱して、それぞれの〝脱自前〟に向けて歩みだす覚悟を持つことが、すべての始まりなのです。これから、日本の「成長」に向けた変革を実践するには、産官学、そして私たち個人が、「新たなる公（おおやけ）」の変革の主体になる意思が求められます。

そこにおいて、「新たなる公（おおやけ）」の拠りどころになる価値観、「何のために変革するのか」という大義や目的が大事です。まさに〝日本のパーパス〟が必要なのです。

未来に掲げる日本のパーパスにおいては、「Well-being」や「サステナビリティー」がキーワードになるでしょう。これからの日本には、「〝人財〟を基軸に、一人一人の付加価値を高め、経済的価値と社会的価値を持続的に両立すること」、更には、「人々の幸福度を高める」ことを目指す〝成長〟がより重要になってゆきます。

日本のパーパスのもとで、個人、企業、社会のそれぞれが、新たなる公（おおやけ）

の当事者として相互に繋がり、それぞれの〝強みを活かす〟関係性のあり方を目指す〝脱自前〟こそ、日本社会の未来を切り拓く道なのです。

「新たなる公」の主人公として「日本を前向きに」

〝脱自前〟とは、本来有する自らの〝強み〟を再発見し、他と新たなつながりを築く〝本業の再定義〟です。過去からの関係を見直して、未知なる可能性を見つけ出す社会との〝つながりの再定義〟でもあります。

〝脱自前〟は、個人、企業や自治体、政府など国も含めて、ミクロからマクロまで、社会全体を通して共通に求められる姿です。

従来の「内向きなタコツボ社会」の閉じた世界から飛び出して、お互いが強みを磨き、弱みを補い助け合う相互作用を継続できる関係性を、日本の社会全体として作ってゆけることが理想です。

〝脱自前〟の世界においては、個人や企業、行政組織のすべての主体（プレイヤー）が「新たなる公（おおやけ）」を担う〝主人公〟になってゆきます。

そして、多様な価値を認めて持続的に高めてゆける〝成長〟の姿を、この日本がモデルになって世界に向けて発信してゆくことは、地球規模での未来に光を照らすかけがえのない大切なメッセージになるのです。

私たちが「自己変革の志」を持つことから社会は変わり始めてゆきます。

日本のパーパスのもとで、個人、企業、社会のそれぞれが、「新たなる公（おおやけ）の主人公」として、「日本を前向きに」すべく相互に繋がりあう〝脱自前〟こそ、日本の明るい未来を創る原動力になるのです。

あとがき

本書は、私の思いを込めた新たなる挑戦でした。

馴染みあるビジネス書というジャンルを超えて〝日本〟を主語にした経営論を書きたい、その志からすべてが始まりました。その終わりである「あとがき」は、過去の著作のあとがきに一貫して刻み続けてきた「対話の続き」という言葉で締めくくりたいと思います。

本を書くことは、私にとって、ものの見方や世界観に影響を与えて下さった方々との、出会いから今に至るまでの〝対話の続き〟の集大成を意味します。本書には、自らの半生の〝対話〟から生み出された、大切な言葉達が沢山敷き詰められています。

「本業の再定義／主語の転換／自己変革／3つの連鎖／現場は先端／評価は相対、成長は絶対／在るものを活かして、無いものをつくる」など、小見出しを彩る言葉の裏側には〝対話〟を重ねた数多くのヒストリーがあります。

分づくりをするためのコンセプトです。本書は、私にとって「脱・自前」の取り組みでもありました。

今までの対話の歴史の中から、「日本を前向きに」という目的のもとに言葉を見つめなおし、将来に繋がるメッセージとして再定義した作品こそが『「脱・自前」の日本成長戦略』です。

タイトルにある〝日本成長戦略〟には、本来の〝底力〟がありつつも、将来への成長期待に乏しい日本社会を「前向きに」変えたい、という願いが込められています。本書が、日本にとってふさわしい成長のあり方を考える一助になれば幸甚です。


本書の制作にあたっては、多くの方々のお力添えを頂きました。本書の〝生みの親〟ともいえる新潮社の内山淳介氏には感謝の念に堪えません。内山氏の「脱・自前」という言葉に注目頂いた一言が無ければ本書は誕生しませんでした。その出会いをアレンジして頂いた佐藤大介氏、出版にご尽力頂いた新潮社の全ての関係者の皆様に深く御礼申し上げます。

そして、デロイト トーマツ グループの大切な同僚である金山亮氏、高橋祐太氏、川中彩美氏には、膨大な労力を要する執筆作業に、伴走者として最後まで献身的にお付き合い頂き、いつもながらの多大なるご尽力を頂いたことに心から御礼申し上げます。

末筆ながら、志に向けて日々邁進する私を、いつも深く理解し傍で支え続けてくれる、我が愛する家族に改めて謝意を表したいと思います。

本書は、読者の皆様との出会いの始まりです。本書をきっかけに「日本を前向きにする〝対話の続き〟が生み出されることを心から願っております。

２０２２年　初夏　未来の鼓動を聞く頃に

松江英夫

松江英夫　1971年（昭和46年）生まれ。早稲田大学大学院修了。デロイト トーマツ グループ執行役。大学院客員教授や政府研究会委員も務める。経営戦略、組織変革が専門。著書に『自己変革の経営戦略』。

Ⓢ新潮新書
952

「脱《だつ》・自前《じまえ》」の日本成長戦略《にほんせいちょうせんりゃく》

著　者　松江英夫《まつえひでお》
2022年5月20日　発行
発行者　佐　藤　隆　信
発行所　株式会社 新潮社
〒162-8711　東京都新宿区矢来町71番地
編集部（03）3266-5430　読者係（03）3266-5111
https://www.shinchosha.co.jp
装幀　新潮社装幀室
印刷所　株式会社光邦
製本所　加藤製本株式会社

ISBN978-4-10-610952-2 C0234